会社は「仲良しクラブ」でいい

株式会社ヌーラボ代表取締役
橋本正徳

Discover

はじめに

Prologue

いいチームとは何か？
コラボレーションが生まれるには何が必要なのか？

僕はずっと、この問いへの答えを探しながら、会社の経営をしています。僕らが提供しているプロダクトがコラボレーションサービスだからでもありますが、僕個人が、その人が個性を発揮している瞬間を見るのが好きだからかもしれません。

僕は株式会社ヌーラボで代表取締役を務め、また、いくつかの非営利なコミュニティにもかかわっています。

本編で詳しく紹介していきますが、僕が何らかの組織にかかわるとき、「一匹狼の群れ」という、あらためて言葉にするとよく分からない組織コンセプトを大事にしています。本来であれば群れることを嫌う一匹狼のようなタイプの人々が群れているような状態が、僕が目指したい組織だと考えています。

また同時に、「プロフェッショナル」というよりは「偏愛家」なタイプを好んでいます。

各自が自由な一匹狼だからといって、互いが全く干渉せず動いているかというと、そんなこともありません。みんな仲が良いのはもちろん、情にも厚く、仲間が困ったときには全力で手を差し伸べます。以前、ヌーラボの行動規範の一つにもしていた「ひとりより、みんなで」をまさに体感している組織だと思っています。

個性溢れる「ヌーラバー（Nulaber）」と呼ばれる社員たちが、仕事をしているのか遊んでいるのかも分からない状態で自律的・自主的に活動しています。そのような働き方も、外の人からはよく、「普通の会社とはちょっと違いますね」と言われます。

その「ちょっと違う」というのは、組織のあり方、社員たちの働き方、どちらに対しても、そう感じるみたいです。あるいは「不思議」「珍しい」「ユニーク」といった枕詞で表現されることも少なくありません。

僕は、彼ら彼女らが楽しそうに仕事していることが会社のパフォーマンスに直結しているように思えますし、そう信じています。世の中には「会社は仲良しチームじゃないんだぞ！」という言葉がありますが、僕の思想はその真逆。**「会社は仲良しチームじゃないと、最高の成果は出ないぞ！」**と思っているのです。

いいことなのか、それとも悪いことなのかは分かりませんが、僕はあまり他社の動向を気にしないようにしています。これは、経営に関しても同じです。そのため、これまで経営者として一応17年歩んできていますが、そもそもどこかで経営について正式に学んだことは一切ありませんし、他の経営者の手法にもあまり興味がありません。友だちのような間柄の好きな経営者や参考にしたい経営者はたくさんいますが、いわゆる尊敬する経営者はいません。

だからこそ、こうした世の中と「真逆の境地」に達することができたのかもしれません。

気がつけば、多くの方々からサポートしていただき、会社も事業も成長しています。社員の数はグループで１３０名を超えるまでになりました。もともとは福岡発の企業ですが、今では国内では京都、東京にもオフィスがあります。さらに２００９年以降は海外にも目を向け、今ではニューヨーク、アムステルダム、シンガポールに子会社があり、グローバルに広がっています。

僕らが提供しているコラボレーションサービスの利用者も同様に、グローバルに広がっています。

タスク管理、スケジュール管理、ファイルや文書管理など、チームでプロジェクトを進めるうえで必要な機能が揃った、プロジェクト管理ツールの「Backlog（バックログ）」。チームメンバーとオンラインで図を共同編集し、認識のずれをなくすことができるオンライン作図ツールの「Cacoo（カクー）」。雑談から業務に必要な連絡まで、チームのコミュニケーションを促進するビジネスチャットツール「Typetalk（タイプトーク）」。チームの管理者もメンバーも、これらのツールをより安心して、より便利に使うことができるセキュリティオプションの「Nulab Pass（ヌーラボパス）」。

大企業も含め1万社以上の組織に、僕たちが開発したプロジェクト管理やコミュニケーションツール「Backlog」「Cacoo」「Typetalk」「Nulab Pass」の導入が広まっています。

会社が成長するにつれ、ありがたいことにオンラインメディアをはじめとして、さまざまな媒体から取材を受ける機会も増えてきました。公開された記事を読んでみると、自分でも「ヌーラボというのは、どうやら他の一般的な企業とちょっと違う会社なんだな」と感じることがあります。そして、それがヌーラボの良さでもあるなと、妙に納得している自分もいます。

僕自身、会社は友だち同士、友情が芽生えた仲間同士の集まりだと思っています。場合によっては仲の良いチームを揶揄して「仲良しクラブ」と表現することがありますが、仲良しクラブこそ最高のコミュニティであり、チームだと思います。会社組織も仲が良いほうがいいと考えています。

ヌーラボでは、プロジェクトが現場から自発的に立ち上がることが多いです。たまにリーダーやマネージャーや僕が決めることもありますが、大事なことは現場のヌーラバーが、仲間とのコミュニケーションや状況から判断して決めています。柔軟な組織、ともいえるかもしれません。

友達同士の集まりなので、一人だけ目立とうとするような人もいませんし、目立った人だけが称賛されたり、評価されたりすることもありません。ですから他社で営業バリバリの仕事に就いていた人などがヌーラボに入社すると、最初はかなり戸惑うようです。「えっ、目立ってなんぼじゃないの!?」といった具合です。

そして、これはとても強くお伝えしたいのですが、まわりから「変わっている」とご指摘を受ける分には構いませんが、自分たちで何か意図的に、変わったことをしよう、ユニークな組織にしよう、といった感覚はまったくありません。

毎日の仕事を楽しくし、その楽しさがプロダクトに宿り、プロダクトを使ってもらったユーザーさんにも、楽しさや喜びが広がる。そのような世界観の実現に向けて、右往左往して、日々取り組んでいたらこうなっていました。

ですから表現が難しいのですが、確かに客観的に見て変わっている会社らしいのですが、変わった会社としては紹介してほしくないし、僕自身、そのように紹介したくありません。「変だ」と言われたら、「変じゃないもん」と怒って返します。

僕と同じような立場、或いはリーダーやマネージャーのポジションの皆様の中に、コミュニケーション、コラボレーション、チームビルディングなどで悩まれている人も多いと聞きます。

言語化が苦手な僕が、これまで自由気ままに行ってきた仲間との取り組みを紹介することに無理があると思いますし、自分で自分のことを紹介するのは極めて恥ずかしいというのが正直なところですが、改めて書籍というカタチにすることで、そのように悩まれている方々の参考になればと思い、今回、本を書かせていただきました。少しでもお力になれば、嬉しい限りです。

橋本正徳

nulab
GOOD SOURCE

会社は「仲良しクラブ」でいい

もくじ

第1章 チームはコラボレーションで強くなる
――想像以上の「想定外」が生まれる場づくり

第4章 「弱み」を見せあえば、「強み」を出しあえる

──「できない」からはじまる逆説のコラボレーション

第5章 楽しめば、楽しくなる、うまくいく
──だから、会社は「仲良しクラブ」でいい

Interview
3

会社は
「仲良しクラブ」
でいい

第1章

Chapter 1

チームはコラボレーションで強くなる

――想像以上の「想定外」が生まれる場づくり

nulab
typetalk
by nulab
cacoo
by nulab
backlog
by nulab

「はじめに」にも書きましたが、僕は「いいチームとは何か？」「コラボレーションが生まれるには何が必要なのか？」についてずっと考えています。この章では、その答えにたどりつくための前提となる考え方についてご説明します。

根底にあるのは、**「想定外」にこそチームやコラボレーションの本質がある**ということです。想定外というと、どうしても面倒や厄介な印象を持ちがちです。でも、想定外がなければ、仕事だって何だって、一人でやったほうが早いし、正確であることが多いですよね。想定外って、想像以上をみんなでつくることなんです。

「1＋1＋1＝100」ではなく想定外の1に変わる

仲間との協業やチームコラボレーションが話題に挙がったとき、よく「1＋1が10になる」「1＋1＋1が100になる」といったフレーズを聞きます。単なる足し算であれば2であったり3であったりするはずのアウトプットが、コラボレーションによる効果でより多くのアウトプットを出せるようになる、といった意味で使われているフレーズかと思われます。

この感覚は、どちらかというと「効率化」について話す際に用いるべきフレーズであって、コラボレーションの説明で使うのはちょっと違うのではないか、と僕は思っています。

言葉としてうまく伝えることは難しいけれど、あえてテキストにするならば、コラボレーションは「1＋1＋1＝100」ではなく、誰も見たことがない、体験したことのない、各個人が持つ一つひとつの個性が混じり合って生まれる「想定外の1」になると考えているからです。つまり、新しいアイデアですね。イノベーションと言ってもいいかもしれません。

僕が尊敬するミュージシャン、以前は3人で活動していた電気グルーヴの石野卓球さんも同じようなことをおっしゃっているそうで、僕も深く共感しています。

「1＋1＋1は3じゃないよ。1＋1＋1は素晴らしい1になるべきだからね」

実はこの本を出版することになったのも、まさにコラボレーションにより想定外の1が生まれたからだと感じています。どのような会話があったのか、今ではすっかり覚えていませんが、社内・社外の複数の人たちと「もっとヌーラボのことを知ってもらうために何をやっていくといいかなぁ」なんて言って、あれこれとアイデアをやりとりしている中で（つまりコラボレーションしている中で）生まれたアイデアが、「チームに関する書籍を出版する」ということでした。

そのアイデアにたどりつくまで、僕自身は書籍を書くつもりなどありませんでしたし、「会社の代表が書籍を出すと、暇なんじゃないかと思われるから出したくない」と、ことあるごとに言っていたほどでした。

しかし、誰が言い出しっぺなのか、誰がリーダーなのかもよく分かりませんが、結果的に僕は書籍を出版することに対して「逆に新しいね」みたいな感覚で賛成して、まんまと書籍を出版しています。やられた。

誰が発案者だか分からない。どのような過程を経てそのような結論に至ったのかも分からない。実際、チームで議論を重ねたり、会話やコミュニケーションのキャッチボールを続けたりといったことを重ねていくと、関係者が想像もしていなかった、突然変異のような想定外のアイデアやアウトプットが生まれることは少なくありません。

「即興演劇《インプロビゼーション》」でコラボレーションの妙を体験

一人では到底思いつかないような想定外のアウトプットこそ、コラボレーションの妙だと思っています。このコラボレーションは、僕が演劇に夢中になっていた頃、練習でやっていたエチュードと呼ばれる即興演劇を通して学ぶことができたと思います。

即興演劇とはまさに言葉どおり、台本を用意せず、その場で役者がアドリブでストーリーや仕草を自発的に考えて演じる形式の演劇のことです。「相手をよく見ていない」「自分だけ目立とうとする」「自分の思いどおりに操作しようとする」

という役者の悪い癖を直すためのトレーニングにも使われているそうです。

最近では「インプロビゼーション」や「インプロゲーム」と呼ばれて、コミュニケーションやチームビルディング、リーダーシップなどを学ぶための企業研修でも使われていたりします。


僕らの劇団では当時エチュードと呼んでいましたが、インアウト（インサイドアウト）と呼ばれる形式のインプロゲームを使用して練習していました。

ステージ上に2人立ってもらい、例えば「バスの中」など、テーマを決めて演じてもらいます。仮にAさん、Bさんとしましょう。この2人が演じ始めてしばらくして、3人目のCさんが自分のタイミングでステージに入ってきます。そのときCさんは、何かしらの理由（設定）をつけなければいけません。例えば、「初めてのおつかいのためにバスに乗ってきた」などです。ステージ上に3人になったら、最初からいる1人（この場合はAさんかBさん）は、何かしらの理由（設定）をつけてステージから降ります。例えば、「目的地に到着した」などです。これを繰り返していきます。

このインアウトをやることで、まさに先の「想定外の1」のように、まったく新しいストーリーや脚本が出来上がっていくことが少なくありません。

僕らの劇団では、即興演劇をひたすら繰り返すことで生まれるアイデアの点と点をストーリーとして一つに結んで脚本をつくり上げていくという手法で台本をつくっていました。最終的には脚本家が生み出した一つの脚本のようになっていたので、観客からすれば特に他のお芝居と変わらないように見えるのですが、役者一人ひとりの個性がコラボレーションすることで、一人の素人脚本家の頭の中からでは出てこない、想定外の舞台をつくることができるというわけです。(もちろん、それをストーリーとしてまとめ上げるのには脚本家の腕が要ります)

イエスアンドゲーム
——相手の意見に「しかし」を言わない練習

インプロビゼーションが体験できる、シンプルな手法があるので紹介します。ぜひ、本書の読後にでもお試しください。二人でもできる「イエスアンドゲーム」です。

二人一組になって、仮にAさんとBさんとして、AさんはBさんに何か提案をします。非現実的な提案でもいいです。Bさんは、その提案を「いいですね」といったん全部受け入れます。そして、さらに自分の提案も一つプラスしてAさんに返します。Aさんは返された提案に対して「いいですね」と全部受け入れて、再度、提案をプラスしてBさんに返します。

A「Bさん、火星に行きましょう!」

B「いいですね。火星に行ってタコ焼き食べましょう!」

A「いいですね。タコは現地で狩りましょう!」

B「いいですね。モリとレーザーガンを持って行きましょう!」

A「いいですね。宇宙船ももっといいものを買いましょう!」

4回のイエスアンドのラリーですが、このような即興演劇を続けていけば、これまでになかったストーリーがいくらでも生まれてきます。最初に提案したAさんも、次に提案を被せたBさんも、お互い想像もしていなかった予想外の物語をつくることができました。

出来上がったストーリーは誰のものでもありませんが、ある意味、Aさんのアイデアでもあり、Bさんのアイデアでもあります。みんなでつくった予想外のアイデアになるわけです。

イエスアンドゲームもそうですが、アイデアを生み出すコミュニケーションにおいては、相手の意見に対して「No」や「しかし」を言わないことが大事です。イエスで続けるからこそ、次々と新しいアイデアが出てくるのです。つまり、この書籍を読んだら「いいですね」と言ってくださいということです。

実際の即興演劇では、人数をもっと増やしたり、会話だけではなく各役者がステージのどの位置でどのような演技をしていて、観客席から見た舞台上はどのような状況になっているのか、そのようなことまでも俯瞰で考えたりしながら、次々とアイデアをつなげていきます。自分のことだけを考える役者には、これはできません。

僕はコラボレーションする人数に関しては、2人よりも3人。3人よりも4人のほうがいいと考えます。一方、個人的には4名でのコラボレーションが限界かもしれないと、これまでの経験から感じています。それ以上の人数になると、なかなか自分たちのことを俯瞰して見られなくなってくるのです。

でも、コラボレーションをする人数に関してはAmazonの創業者、ジェフ・ベゾスさんが提唱している「ピザ2枚ルール」も参考になりそうです。ベゾスさんは会議の最適な人数として、2枚のピザルールを適用しています。会議は参加者が多ければ多いほど生産性が下がるので、参加者数を2枚のピザを分けあえることのできる人数に抑えているのだとか。具体的には会議に参加できるのは8名だそうです。僕のチームのほうがベゾスさんのチームより多くピザが食べられそうです。

インプロビゼーションによる妙は、演劇に限りません。ビジネスはもちろん、あらゆる組織におけるチームコラボレーションで活用できますし、実際、人材・組織づくりのメソッドとしても使われていて、多くの経営者も注目しています。

実は書籍にもまとめられています。2015年に米国で発売された『なぜ一流の経営者は即興コメディを学ぶのか?』(ケリー・レオナルド、トム・ヨートン著）です。ちなみにこの本、日本ではそれほど注目されなかったようです。しかし、アメリカではベストセラーになっているようですし、僕もとても参考にしています。

著者の2人は、シカゴを拠点とするコメディ劇団の創業者であり演者で、同劇団の演目はまさにインプロビゼーション、即興演劇がメインです。同時に、組織づくりのメソッドとして注目されていて、役者やコメディアンに限らず、ビジネスパーソンからスポーツ選手なども注目しているそう。

さきに説明したイエスアンドゲームも紹介されていますので、興味のある方はぜひ読んでいただければと思います。偶然にも、この書籍と同じディスカヴァー・トゥエンティワンさんから出版されています。

僕もインプロビゼーションで培われる能力やセンスは演劇に限らずビジネスの場などでも有効だと考えており、インプロビゼーションに関するワークショップを、自分がファシリテーターとなって開催しています。

社内でインプロビゼーションのワークショップを行うときは、仕事上での関係性ができてしまっていると、僕が直接、ヌーラバー（ヌーラボの社員のこと）をファシリテーションするのはなかなか難しいので、日本即興コメディ協会の代表理事であり、お笑い芸人オシエルズのボケ担当でもある、矢島ノブ雄さんにお願いしています。大変楽しく学べます。

「ワールドカフェ」でまったく新しいアイデアを創出

会議を活発にするフレームワーク「ワールドカフェ」でも素晴らしいコラボレーションを体験できます。

ヌーラボでもミートアップなどのイベント内でワールドカフェを行い、イベント参加者は対話を通して多くの気づきを得ました。もちろん、主催者である僕たちも。

2010年には福岡にて約100人が集まってコラボレーションカンファレン

スと題してコラボレーションについて真剣に熱く検討するカンファレンスを開き、そこでもワールドカフェを使って『コラボレーションのあるチームはどうやってつくれるだろう?』というテーマで意見を交わし、一つにまとめていきました。

ワールドカフェでは、まず、テーマを設定し共有するところから始まります。そして、一つのテーブルにつき4~5名に分かれて座ってもらい、各テーブルでテーマに対して議論をします。そのときに、机に広げた模造紙に議論の中で得ることができたアイデアを書き留めておきます。いたずら書きのような感じでも、殴り書きでも構いません。とにかく書き留めながらテーマについて探求していきます。

ワールドカフェがユニークなのは、しばらくしてグループの中から一人だけをテーブルに残して、他のメンバーは自分のいたテーブルを離れて他のテーブルに移動し、グループを再構築して新たに議論を続けていくところです。

テーブルに残された一人は、離れていくメンバーを「いってらっしゃい」と送りだし、新しくやってくるメンバーを「いらっしゃい」と歓迎し、自分のいるテーブルでどのような議論がされていたのか、模造紙に残されたアイデアを使って説明します。

共有が終わったら、そのうえに新しいメンバーが議論を重ねていきます。自分の意見はもちろんですが、元のテーブルで議論されていたアイデアを新しいグループでも共有したりします。

アイデアが他のテーブルにも移っていくさまを、こちらの花粉をあちらの花へ持っていくミツバチにたとえて「他花受粉」と呼んでいます。ミツバチを通して異なる花同士が受粉して新種の花が誕生するように、会議の場でもアイデアを他花受粉させて新しいアイデアを誕生させます。

そして再び、他のテーブルに散っていたメンバーが元のテーブルに戻り、移動先で得たアイデアや、自分がいない間にテーブルで話されたアイデアなどを元にさらに議論を重ねていきます。すると、もともとのメンバーだけで出たアイデアよりも、はるかにさまざまなアイデアが出ていることが分かり、気づきや発見が統合されていきます。

ワールドカフェのよいところは、大人数でもできることです。実際、1000人以上が集まるようなミートアップでも行われているようです。

お互いが積極的に意見を出しあうので、仲間同士のコミュニケーションの醸成にも寄与します。そして、ゲーム感覚で行うので、やっていて楽しい。会議でなかなかアイデアが出ないという方は、ぜひ試してもらえればと思います。

実施に関しては環境がとても大事なので、大きめのホールなどを借りるといいかもしれません。くれぐれも、殺伐としたオフィスの会議室でやることは避けてください。

雑談の力でBacklogのスターの数が1・5倍に

ヌーラボではBacklog以外にも、チームのコミュニケーションやコラボレーションを促進するためのツールをいくつか開発しています。その一つが、ワールドカフェでの体験から着想を得てつくられたチャットツール「Typetalk（タイプトーク）」です。このTypetalkを使ったチャットでも予想外の1を生み出すコラボレーションが発生していますので、いくつか紹介させていただきます。

まずはBacklogの「スター機能」に関するコラボレーションです。勤労感謝の日に合わせて一週間限定で、これまでとは一風変わったユニークな取り組みができないかと、複数人で雑談ベースでアイデアを交わしていました。

まさに即興演劇と同じ、台本のないアドリブでの意見交換です。イエスアンド。「いいですね」の嵐。

そうしたコラボレーション（雑談）から生まれたのが、Backlogのスターを押すとゴリラなどBacklogお馴染みのキャラクターが画面に現れ「お仕事、お疲れさま！」といったコメントをつぶやいてくれる、というものでした。

このアイデアを実装すると、この期間にユーザーさんたちの中で送り合われたスターの数が通常の1.5倍に増えました。ヌーラバーからも面白いといったポジティブな声があがりましたし、ユーザーさんからも「遊び心があって面白い。キャラクターが出てくるのが見たくて、思わずスターを連打しました」といった反響がありました。

興味深いのは、1週間の限定期間が終了した後も、スターの数が以前と比べて

1割ほど増えたことです。正確には、1日に送られるスターの数が以前は約4万件だったのが、勤労感謝の特別バージョンの期間中は約6万になり、その後も約4万5000平均となっています。

あくまで想像ですが、これまでスターを使ったことのなかったユーザーさんが、イベントをきっかけに使うようになったのだろうと仮説を立てることができます。あるいは連打する面白さを知ったのかもしれませんね。

プロフィールの性別表記をなくした

以前、Backlogにはユーザーのプロフィール欄に性別の表記をする箇所がありました。こちらも、Typetalk上で仲間たちが雑談をする中で、最近のジェンダーの風潮を鑑みて必要ないのではとの議論が交わされました。

性別の入力が必須の仕様になっているのは、ダイバーシティに反するのではないかといった活発な意見が交わされ、現在は性別の表記は削除しています。

社会課題に対する方針をリリース

コラボレーションによる予想外のアイデアの創出は、プロダクトの仕様や機能だけに留まりません。例えば、カスタマーハラスメントに対するヌーラボの方針の発表にもたくさんのアイデアが盛り込まれました。

カスタマーハラスメントに関しては、僕自身が以前から社会課題になっていると感じていました。コンビニなどで怒鳴り散らしながら、結局はたいしたものを買わないお客さんに対して、コンビニのオーナーなどはどれくらいのコストをかけているのか。もう、入店を断ったほうが経済的に合理的なのではないか。日本の行き過ぎたホスピタリティは経済的によくないのではないか。

僕は、なぜか表現し難い正義感が芽生え、世の中のカスタマーハラスメントに対する怒りを込めたメッセージをTypetalkに投稿しました。

するとと多くのヌーラバーから意見が挙がってきました。その結果、会社として正式に、カスタマーハラスメントに対する考えや、カスタマーハラスメント事案だと認定したときの対応・防止方法、カスタマーハラスメントを行った人とのコミュニケーションの方針などを明確にまとめ、発表する運びとなりました。

ボールを投げたのは僕でしたが、その後のやりとりはまさに即興演劇と同じで、一人ひとりのヌーラバーの意見や考えが他花受粉していったことで、それまで想像もしていなかったアウトプットにつながったと思っています。

ユーザーコミュニティこそコラボレーションの妙

Backlogには、Japan Backlog User Group を略した「JBUG（ジェイバグ）」というコミュニティがあります。もともと自然発生的にユーザーさん同士がつながってコミュニケーションをとってくれてはいたのですが、あるとき「Backlogのコミュニティをつくりたい」と僕に話してくれる方がいました。そこで、会社としてきちんとコミュニティに名前をつけて正式にサポートするようにしました。まず第1回目のイベントは北九州でやったことを覚えています。

サポートといっても、参加している方のマインドは、基本的にギブ・アンド・ギブ。イベント会場までの旅費交通費はもちろん、参加にかかる費用はすべて参加者持ちです。大きなイベントになれば、JBUGer（ジェイバガー）と呼ばれるコミュニティの仲間がスポンサーを探しに動きます。ヌーラボがサポートさせていただいているのは、そのスポンサーの一つになることです。

僕たちは、あえてコミュニティ活動に対して金銭的な対価が発生しないようにしています。コミュニティの活動をする人たちが、お金ではない何か別のモチベーションのためにコミュニティ活動に参加していることを知っているからです。

僕も仲間たちがワイワイ楽しんでいるコミュニティ活動のモチベーションの源を知っているつもりです。だから、コミュニティ活動を活性化するためには、コミュニティで活躍する個人にインセンティブを渡すようなことはせずに、コミュニティそのものを盛り上げるためのスポンサーになるようにしています。また、イベントのときに一緒に机や椅子を動かしたり、受付業務を一緒にやったりと、一緒にイベントを盛り上げるのも大事です。

これが、コミュニティのリーダーなどの個人にインセンティブを渡すような取り組みに変わった途端に、コミュニティ活動がつまらなくなってしまうのもよくあることです。これは僕自身が多くのコミュニティに参加していて感じてきたことでもあります。僕もコミュニティが大好きで、コミュニティ生まれ、コミュニティ育ちだから、熟知していることです。

コミュニティに参加するJBUGerは、ヌーラボや自分に金銭的な利益をもたらすためではなく、自分と同じようにプロジェクトマネジメントに困っている仲間、Backlogを使っている仲間、もしくはBacklogというプロダクトのより良い使い方を共有するために、そして活動を通じてBacklogがより良いプロダクトになっていくように、さまざまな活動をしています。

一般的な経済合理性では到底説明のつかない誇りや心の充足度が満たされる活動だからこそ、お金が絡むビジネスの尺度では考えられないような大きなことが起こせるのではないかと思います。

ユーザーとのコラボレーションでUIを刷新

JBUGだけに限ったことではありませんが、これまで僕たちは、ユーザーさんとのコミュニケーションをとても大切にしてきました。例えば、コミュニティができる以前から、ソーシャルネットワーク上でユーザーさんに話しかけてみたり、Backlogのユーザーの皆様を招待するユーザー会などをヌーラボで主催するなど、ユーザーさんとのコミュニケーションを積極的にとっていました。

コミュニケーションの場で、さまざまな試みも行いました。例えば、食品業界で行われている試食会のような感覚で、新しく開発した機能やプロダクトをベータ版としてユーザーさんに提供し、試験的に使ってもらうなど。

新機能を試験的に使っていただいてしばらくして、実際に使ってみてどうだったのか、忌憚のないご意見を頂戴して実際に開発にフィードバックしています。

僕たちの感覚としては、コミュニティへ参加してくれる皆様は半分ヌーラバーのように思っています。一般ユーザーさんとヌーラバーの間にいるような、とても大事な方たち。ともにプロダクト開発をしている「仲間」というような位置づけです。

例えば２０１６年12月にBacklogのユーザーインターフェースを大きく刷新していますが、変更の裏側ではユーザビリティテストに参加していただいたユーザーの皆様や、ベータリリース期間中に利用していただいたユーザーの皆様の意見が大きく反映されています。ユーザーの皆様と一緒になって、まさにコラボレーションして、新たなユーザーインターフェースに刷新していったような感覚です。

あるユーザーさんからは、ソーシャルネットワーク上で「画面がまぶし過ぎる」との意見をもらったので、そのコメントをくださった方にヌーラバーがコンタクトをとり、同じディスプレイを購入して、実際に映し出される画面を確認しました。確かにそのディスプレイで新しいユーザーインターフェースを見てみると、グレーの色を使っている背景部分が真っ白に映って緑色が目に痛い感じでした。社内では発色の良いディスプレイを普段使っているために、この問題に気づけなかったのです。

Backlogだけではなく、Cacooなど他のツールに関しても同じようにユーザーさんと共につくっていくものだと思っています。積極的に開発に参加してくださるユーザーさんやコミュニティは、新しい製品の開発、特にコラボレーションによる予想外のアウトプットを生み出すうえで、なくてはならない存在です。

リーダーは任命しない
――フィットする人がやればいい

組織のつくり方やチームビルディングの考え方も、コミュニティを通して学ぶことができます。

ＩＴ業界ではＡＩが流行ればＡＩコミュニティ、これからＤＸだという話があるとＤＸコミュニティやＤＸ推進委員会、ＩoＴが世界を変えると聞けばＩoＴ

コミュニティやIoTアソシエーションなどと、コミュニティがすぐに立ち上がります。とても面白く、いいことだと思うのですが、立ち上げのタイミングで体制や組織を先に「きちんと」整えたがるコミュニティを見ると「あ、失敗しちゃうかもな」と思うことがあります。

コミュニティでの組織づくりにおいて、まだ何も行動していないうちに「○○さんは、イベント企画委員長で、○○さんは広報委員長で」のように、先に体制や立場をつくってメンバーをアサインしたり、綺麗な組織図づくりを行ったりすることに達成感を感じていてはダメだと思います。

みんなが自発的に動きだすのを待ったほうがいい。もちろん、自分も含めて、何かの役付にするのはずっと後でいいのです。

これは会社組織も同じで、スタートアップがまだ成果もだしていないのに、いきなりCTOだCMOだと組織づくりをしているさまを見て心配になったりします。すぐにCTOとしての実力を持っていないことに気づいちゃうかもしれないし、CMOがちゃんとCMOとして働くという保証はないのに、組織づくりをちゃんとしすぎているなぁ、と。

コミュニティの場合であっても会社組織の場合であっても、それぞれの行動実績に応じて、後づけでリーダーや委員長、CXOといった肩書きをつけていったほうが理にかなっていると考えています。「立場をもらったほうが動きやすい」というセリフが聞こえてきそうですが、立場がなくても動けるくらいの自発的な人を成長させることのできるチームでありたいですね。

ヌーラボは福岡の他に、国内では京都、東京に拠点があります。海外ではニューヨーク、アムステルダム、シンガポールと3つの拠点があり、社員はグローバル全体で現在約130名。この本を書いている2021年の11月現在では、およそ40～50のチームが存在しています。例えばサービスを開発するヌーラバーは、基本的には国や地域は関係なくプロダクトごとにざっくりと組織を分け、その中でプロジェクトごとにチームを分けています。

このように国や地域を気にすることなく柔軟にチームをつくることができるのも、どこにいてもインターネットとパソコンさえあればプロジェクトの管理・共有ができるBacklogなどの業務ツールのおかげだとあらためて感じています。

一般的な組織であれば、例えば40チームあれば40チームそれぞれに、チームを束ねるリーダーがいるでしょう。つまりリーダーが40人いることになります。

その際、それぞれのチームのリーダーを特定の誰かに固定しておくことを、僕は推奨しません。リーダーはその時々の状況に応じて柔軟に変えていったほうがいいからです。リーダーとマネジメントを混同せずにちゃんと分けて、タスクやプロジェクトごとの状況に合わせて、どんどん担当者が変わっていけるような仕組みとマインドセットが重要だと考えています。

同じチームの仲間でも、プロジェクトの当初はプロダクトや新規機能を開発するのが得意な仲間がリーダーシップをとり、安定期では同じように継続業務に強い仲間にリーダーシップを渡す。サーバーサイドに問題があればサーバーサイドに強い仲間にリーダーシップを渡し、ユーザーさんからユーザーインターフェースがわかりにくいという声があればリーダーシップをデザイナーに渡す。環境変化の激しい状況下では、リーダーシップをとる人をころころと変えていく必要があります。

特に専門性が高い組織では、チームを牽引するリーダーシップを持つ人を状況に合わせて変えないと、チームとしてパフォーマンスが発揮できません。変えることができないと、結果的に弱いチームとなってしまいます。

そのときどきにフィットする専門性を持った人がリーダーシップを発揮できるようにせず、現状や環境にフィットしない人がリーダーシップをとっていると、会社の経営やチームにとって大きなマイナスになります。

ここで必要になってくるのが、リーダーシップを手放すことができる技術と、リーダーシップをとることができる技術です。名声や地位などに惹かれていると会得するのが難しいかもしれませんが、リーダーシップが人から人へどんどん移動できるようにしておかなければなりません。

また、リーダーとマネージャーは違うということも念頭に置いたほうがいいです。リーダーは目標達成のためにチームを牽引する人で、マネージャーは優先順位の設定や評価など、目標達成のための手段や方法を考えて管理する人だと思っています。リーダーシップをとっているからといってマネジメントもできるとは限りません。

リーダーシップの移動が必要な理由は、専門性だけではありません。家庭の問題や体調面などの理由から自身の実力を発揮できなくなる期間が続くことで、リーダーシップを別のメンバーに渡さざるを得ないケースもあります。

個人が自分のキャリアを考えて「次のプロジェクトはものづくりに集中したいので、もっと攻める開発をやっていこうかな」「それじゃあ、私が代わりに守りの運用にまわりますよ」というような会話ができるようになると、組織としても、個人の働き方としても柔軟性が上がります。

リーダーシップと同様、マネージャーも状況に合わせてパフォーマンスを最大限発揮できる者が担えるように考えています。課長などのマネジメント職も、昇進という考え方ではなくて一つの役割として考えるようにして、状況に応じて交代可能にしておいたほうがいいと思います。このようにフレキシブルに考えてチームもプロジェクトも状況に合わせて変化させていくことが大事です。

ところで、マネージャーでもタッチ交代でころころ変えることのできる仕組みとマインドは、ヌーラボの社内でしか通用しないようで。あるとき「課長や部長を辞めたりした場合、転職したときに不利に見えませんかね？」という問題提起をいただきました。

確かに世間的にはまだマネジメント職の担当者をフレキシブルに入れ替えるようなやり方は一般的ではないので、マネジメント職から離れることを降格だと思われて、否定的な見られ方をされそうです。

そこで、ヌーラボではディプロマを発行することを検討しています。ディプロマとは公式証明書という意味で、ヌーラボから本人の実績をまとめた証明書を発行して、転職の際に役立ててもらうことができるのではないかと思っています。

マネジメントはツールに任せる

プロジェクトマネジメントに関しても、以前と比べると誰でもできるようになってきています。

それは、暗黙知であったマネジメント手法が徐々に形式知化されるようになり、書籍やWebサイトなどで共有されて、検索するとすぐにヒントが見つかる状態になっていることが影響しているからだと思います。そして、今や多くの人が安価でプロジェクトマネジメントのやり方を学習できるようになっています。

形式化されるとソフトウェアとして実現しやすくなるので、Backlogのようなプロジェクト管理ツールをつくることができるようになります。さらに、そのツールの便利さを理解する人が増え、普及して浸透していくことで、輪をかけてマネジメントは簡単になっていきます。

もちろん以前と変わらずマネジメント業務も重要であることは変わりませんが、これまで属人性の高かった業務を、ツールが補ってくれるようになってきた結果、以前と比べてマネジメント業務の負荷は軽くなってきています。今後、さらにその傾向は加速していくでしょう。

マネジメントの役割の一つに、チームメンバーそれぞれのタスクがどこまで進捗しているかを確認して把握する、進捗確認業務があります。

例えば、1週間に一度の割合でメンバー全員を集めて進捗会議を実施し、その場で1週間の進捗具合をヒアリングする。ヒアリングした結果はExcelなどの進行表に記載され、「残りこれだけのタスクがあるので、期限までに終わらせるよう、また1週間頑張りましょう」といった感じで会議が終わり、そして、このやりとりが、プロジェクトが終わるまで毎週、延々と続いていく——。

このやり方だと、タスクの進捗が遅れているメンバーがいても、遅れていることに気づくタイミングは週に一回きりのミーティングのときだけになります。遅れに気づいたタイミングでマネージャーがメンバーと直接話し合いの場などを設け、なぜ遅れているのか、この先どう対応するのかを担当者と話し合い、その後、にっちもさっちもいかない状況をチームに共有して、誰か手の空いているメンバーをアサインしていくような流れになっていました。

プロジェクト管理ツールを使った場合、各メンバーがプロジェクト管理ツールに登録されているタスクに進捗を記録します。すると、マネージャーはもちろん、他のメンバーも、ツールを通して誰がどのタスクをどの程度進ませているのか、常に薄く共有されている状態になり、週に一度の進捗会議は必要がなくなります。

進捗会議に使われていた時間は、雑談や勉強会などの時間になっていきます。あるユーザーさんからは「今まで会議のほとんどが進捗の確認で終わっていたけれど、Backlogを導入したら次のアクションの話をする時間が増えた」という感想ももらいました。

また、プロジェクト管理ツールを使っていると、タスクが期日までに終わっていない場合、申告などのアクションを起こすことなく画面上に分かりやすく表示されるため、状況が芳しくないことが自動で伝わり、週に一度の進捗会議を待つことなく、マネージャーだけでなくチームのメンバー全員が、直ちにヘルプに向かうことができます。

もう一つ。ヌーラボのようなプロダクト開発を仕事としているエンジニアなど、知的労働と呼ばれる、自らの知識によって製品開発や会社に貢献する仕事は、現場で実際に知識を使っているメンバーしか知り得ないことが多いという特徴があります。

そのため、トップダウンでマネジメントしてチームを成功に導くのは至難の業です。現場は、具体的な場所ではなく、のぞくことのできない一人ひとりの頭の中なのに、それを無視してトップダウンでプロジェクトを進行させようとした場合、現場判断で回避できたはずの落とし穴にハマったり、現場からでたプロジェクトを進捗させるためのアイデアを潰したりします。

とはいえ、現場のメンバーが知っていることや見ていること、現場の感覚や状況をとにかく細かく報告・共有してもらって指示をするようなマイクロマネジメントをしても、コミュニケーション量が増えすぎて、すぐに行き詰まります。

トップダウンで丸投げして失敗すること、マイクロマネジメントのしすぎで行き詰まってしまうこと。どちらの事態も避けるために、各メンバーがある程度自分自身で自分のやるべきことを決めることができるようになっておく必要があります。

そのようなセルフマネジメントができるメンバーが揃えば、さらにプロジェクトマネジメントの負荷は下がっていきます。そのセルフマネジメント能力も情報とツールのおかげで、以前より早く身につけることができるようになっています。

傾聴力がある人がリーダーに、許容度の大きい人がマネジメントに向いている

リーダーやマネージャーは誰でもなれますが、一方で、やはりリーダーやマネージャーが持っていたほうがいいスキルはあると思います。

それは、仲間の話を聞くための「傾聴力」や、仲間の行動を見守る「許容力」です。

僕自身は残念ながら人の話をじっと聞くような傾聴力は持ち合わせていないのですが、ヌーラボのリーダーやマネジメント職のみんなは、羨ましくなるほど傾聴力があり、許容度も大きいです。

リーダーには、どのような意見に対しても聞く耳を持つことができる傾聴力が必要なのではないでしょうか。ぐいぐいチームを牽引していくリーダーシップももちろん必要ですが、そのためにも傾聴力は役に立ちます。

まずは行動や提案でチームをリードする。その後、仲間がリーダーの行動や提案に対してたくさんのフィードバックをし始めるので、それにじっと耳を傾けるのです。そうしないとチームを牽引できない。

これを、即興演劇では「フォロー・ザ・フォロワー」と呼びます。リーダーシップを発揮しながらも、それに刺激された仲間たちのフォロワーになる。あるときにはリーダーになって、あるときにはフォロワーになって、リーダーはチームの先頭と最後尾を往復するように走ります。そして、リーダーが最後尾で傾聴力を発揮しているときが、チーム全体が前に進んでいるときだったりします。

そのためリーダーは、メンバーが自由に意見を出しあえる、コミュニケーションできる場を用意することが必要です。例えば、これは僕もよくやることですが、Typetalkのトピックにコミュニケーションのきっかけとなるような問いやテーマを投げ、みんなの会話がどのように進んでいるのかを、じっくりと観察する。

コラボレーションが滞っているようだったら、再びフックとなるようなコメントをしてみたり、場合によっては1on1など直接話す機会をつくってみたりします。

仲間が興味のあるテーマを投げるためには、普段から仲間がどのようなことに興味を持っているのか、考えているかを把握している必要もあるので、そのあたりの観察を頻繁にしておくとさらに良いと思います。

僕は、知的労働はとても即興演劇的だと思っています。一人の著名な脚本家が書いた台本を演者たちがただ再現していくタイプの演劇ではなく、即興演劇のように、脚本家や監督もおらず、誰が主役で、誰が脇役なのかも決まっておらず、演者のコラボレーションで新しいものを生みだす活動です。

そして、そのような活動こそが、偉大な脚本家や監督を超えるような作品をつくり上げるのです。

知的労働では、仲間同士で自由にアイデアを出し、そのコラボレーションから予想外な、まったく性質の違う、新たなアイデアや解を出していきます。そのため、マネージャーにはぐいぐい引っ張っていくようなリーダーシップではなく、メンバーがワイワイと意見を出し合っているのを、ある意味遠目から引いて見ている、見守っている許容度の高さが必要だと感じます。

そして、然るべきタイミングを狙って、アイデアがほどほどにできったタイミングで、マネージャーの役割である優先順位の設定を行います。

マネージャーを経験しているうちに、許容度が身についたのか。あるいはもともとの属性として高い許容度を持っている仲間が管理職になっているのか。鶏と卵のようでよく分かりませんが、いずれにせよヌーラボの管理職の特徴は高い許容度を持っていることであることは、間違いないと感じています。

周りを信じてマネージャーが責任を持つ

コラボレーションの結果生まれたアイデアや成果は、誰のものでもありません。かかわったみんなのもの。ところが、このような考え方だと、一つ問題があります。責任、です。

ヌーラボ社内でも「これは最終的に誰が決めるんだ」「誰が責任をとるんだ」と

いう話がちょくちょくあがります。誰か一人の個人が産んだアイデアでもないので、みんなで決めるし、みんなで責任をとるのですが、ふと気がつくと、どの個人が責任をとるのかわからなくなるのでしょう、きっと。

即興演劇の手法を例にとって説明しましょう。仲間同士が即興演劇を行い、それによって生まれた一つひとつのアイデアという点を、脚本家が一つのストーリーとして線をつないで脚本にします。

傍から見ればその脚本家の作品ですが、本質は仲間によるコラボレーションの妙です。しかし、繰り返しになりますが、まわりから見れば脚本家のアウトプットのように見える。つまり、そこには脚本家の作品としての責任が付帯することになります。

この書籍も僕だけで書いているわけではない、でも、内容は僕が責任を持ちます。

コラボレーションの過程ではリーダーはその時々で向いた人がやればいいと思います。でもいざアイデアがまとまってアウトプットがでるときは、やはりそこにはマネージャーというポジションの責任を伴う役割が必要です。チームの全員で生み出した作品であることは間違いありません。でも、最終的に脚本家であるマネージャーが責任を負う必要があります。仲間が全員で生み出した作品だから、全員が責任を持つということは、すごくハートフルで素晴らしいので、すべてのチームがそうであっていてほしいのですが、最後の最後、みんなの不安を払拭するためにはマネージャーの「私が責任をとります」という一言が必要なのです。

そして、あくまで僕個人の考えですが、もうマネージャーは「無責任に責任をとる」しかないかな、と思うのです。

マネージャー自身よりも仲間のほうが優れている専門性の高い分野があって、その分野でいいコラボレーションが生まれても、正直、マネージャーにはその良し悪しを判断するスキルや素養がない。

このような場合、その専門性の高い分野について完全に理解できないけど、素人でもわかるような抽象度の高いところを確認して、あとはその仲間が信じられるか否かだけです。信じることができるのなら、マネージャーは無責任に責任をとり、「私が責任をとります」と言ってプロジェクトを進めるしかないんです。究極のところ、仲間を信じるしかない。

僕の場合は無責任度が極端ですが、ヌーラボでのリーダー、管理職クラスの特徴を見ていると、やはり仲間を信じて責任をとる人が多いように感じています。

Column 1

原点はコミュニティでの仲間との遊び

ヌーラボができるまで［前編］

このあとのコラムでは3回に分けて、僕がどのような幼少期、青年期を経てヌーラボの原型にたどりついたのかを、ライフストーリーに沿ってご説明します。

自分の興味が湧く領域を見つけて没頭する。すると、仲間が生まれ、彼ら彼女らとのかかわりのなかで、自然とコミュニティが生まれていくことを経験しました。

周りから見たら、僕は問題児だったかもしれません。でも、僕のなかにあったコダワリやオタク気質といった「偏愛性」こそが、僕の道を照らしてくれたのだと、今では思えています。

幼い頃からいろいろなタイプの仲間と遊ぶのが好きだった

小学5年生のときに原因不明の血尿を出し、腎臓が片方肥大化していることがわかり、そのため、原因が特定され治療が終わるまでの間、激しい運動は一切禁止されていました。後に「ナッツクラッカー症候群」ということがわかったのですが、高校生になるまで体育の授業には参加していませんでした。

発症当初はなんの病気かよく分からなかったこともあり、小学校5年生の頃は約1年間、学校に登校もできず、家でおとなしくしていました。今でこそ身体も大きく、初めて会う人からは「なにか、運動しているんですか？」と聞かれることも多いのですが、見た目とは違って、今でも運動は得意ではありません。身体も、とても堅いですし、前屈とかヤバいです。

病気で自宅に籠っている間はとにかく時間を持て余していて、幼い頃から好きだった4コマ漫画やイラストを描くような日々を過ごしていました。文章を書くことも好きだったので、小説のようなものを書いたこともあります。

学校に行けるようになってからは、ずっと家にいた反動からか、友だちと遊ぶことがとにかく楽しかったです。特に何をするというわけではありませんでしたが、友だちと一緒に無駄話をしたり、キャンプに行ったり、青春を謳歌していました。勉強も遅れを取り戻すために懸命に頑張っていたと思います。

交友関係は広く浅く、いわゆる特定のグループには属していませんでした。中学生の頃、おそらく多くの人は、まじめグループ、やんちゃグループ、運動が得意な仲間たちなど、趣味や感覚が一緒の友だちとそれぞれのカテゴリーに分かれてグループを組まれていたかと思います。

僕は、なにかしらのグループに所属している感じではありませんでした。どのグループに所属しているかなどは関係なく、誰とでも仲良くしていました。だからいわゆるオタクと呼ばれるような友だちとも仲良くしていましたし、不良っぽい方々とも仲良くしていました。

このような妙な交流関係だったからなのか、自分で言うのも恥ずかしいですが、先生やまわりからは一目置かれるような存在だったような気がします。特に何か秀でているというわけではないのですが、とにかく、ただ落ち着きがなく目立っている。今振り返ると、そんな存在だったように思います。

PC-9801で音楽制作やプログラミングに没頭

小学生の頃、任天堂から発売されていた家庭用ゲーム機の「ファミリーコンピューター」、略して「ファミコン」が発売されて、大ブームになっていました。みんなゲームに夢中で、僕も少し遅れてファミコンを手に入れて、御多分に洩れずゲームに夢中になっていました。あまりにゲームをやり過ぎたため親から怒られてしまって、世の中では「ゲームは1日1時間！」と言われていた時代に、我が家では「ゲームは土日だけ！」というルールができてしまいました。

でも、どうしてもゲームをやりたくてやりたくてしかたなくて。土日にプレイしたゲームの内容をカセットテープに録音して、その音源を平日に聴くことで、土日のゲームの内容を再度、音だけで味わい、プレイの内容を妄想して楽しんでいました。

録音をしていたのは、アクションゲームの音ではなく、ドラゴンクエストなど、ロールプレイング系の物語が想像できるゲームが多かったように思います。カセットテープは最大でも１２０分くらいまでしか録音できないので、裏技を使ってどうにかドラゴンクエストを2時間でクリアすることが、当時の僕の課題でした。

そして、高校生になり、ラジオ番組などの影響でエレクトロミュージックやテクノミュージックに興味を持ち始め、小学生の頃に録音して聴いていたゲームの音楽が、今でも大好きな電気グルーヴなどのサウンドとリンクするようになっていきました。

当時の友だちのほとんどはギターから楽器演奏を始めていましたが、僕はテクノミュージックが好きだったので、パソコンで音楽を作れることを知り、あれこれと調べて、当時持っていたＰＣ-９８０１（ＮＥＣが80年代から販売していた16ビットマシンＰＣ-９８シリーズのうちの一つ）にＣＡＳＩＯのシンセサイザーを繋げて、作曲活動の真似事をするようになっていきました。

持っていたシンセサイザーはひとつの音色しかだせない非マルチティンバー

のポリフォニックシンセだったので、低音域をベース、さらにもっと低音域をバスドラムなどと想定して割り当て、それっぽく聞こえるようにシーケンスを打ち込んでいたのですが、どうしてもファミコンのゲームミュージックっぽくなってしまっていました。

そのようなサウンドしかつくれなかったことが悔しくて、逆に、ますますコンピューターサウンドが好きになっていき、サンプラーなどの機材を購入して、音づくりにのめり込むようになっていきました。

高校生時代は音楽以外にプログラミングも始めました。プログラミングは小学生時代に出会ったファミリーベーシックが出発点でした。ファミリーコンピューターの周辺機器の一つで、ロムカセットとファミコンに接続するキーボードのセットです。ゲームを作るためのプログラミングや音楽を作ることができる機能がついていました。その後、母親から買ってもらったＮＥＣのパソコンＰＣ-９８０１でプログラミングを体験しました。

『マイコンＢＡＳＩＣマガジン』、通称ベーマガと呼ばれるプログラミング雑誌を購入しては、それに掲載されているプログラムをパソコンに打ち込んでいくようなこともしていました。

社会人になり、世の中にはインターネットが普及しはじめ、次第に、HTMLを駆使してWebサイトなども作れるようになりました。Perlというプログラミング言語でできたフリーのソフトウェアをダウンロードして、改造しては、オリジナルのサイトなどを作るようになっていきました。

テクノミュージックを集めた、ディレクトリ型のサーチエンジンなども作りました。

ディレクトリ型のサーチエンジンとは、いわゆるジャンルやカテゴリーごとに情報を分類・作成した検索サイトで、分かりやすく説明すれば「Yahoo!」のようなサイトです。情報の入力は人手によるもので、僕がさまざまなテクノミュージックに関するWebサイトを集めてきては夜な夜な分類して入力していました。

サイト訪問者は、テクノミュージックを作っている人やイベントの情報を簡単に探すことができ、さらに、僕のように作曲している人であれば、僕にメールでWebサイトのURLさえ送ってくれれば、自分で作った音楽をアップロードしているサイトを宣伝できる。そのようなサイトでした。
そのような活動を通して、自分のサウンドを気に入ってくれた仲間と知り合うようになり、クラブでライブ活動をするようにもなっていきました。

バラエティに富んだ音楽仲間とインディーズレーベルを設立

インターネットを通して音楽仲間が増えていき、「ドンタク」というインディーズレーベルを立ち上げました。英語で「溜め込むな」という意味の「Don't tuck」と、福岡の祭り「博多どんたく」をかけ合わせた造語です。なかなか洒落の効いたレーベル名でした。

メーリングリストと呼ばれる電子メールを利用したコミュニケーションツールで連絡を取り合い、仲間は20名ぐらいだったと思います。テクノミュージックが好きで、自分で曲も作っているというコアな部分は共通していましたが、年齢も住んでいる地域もさまざまで、特に僕の周りのテクノミュージック好きは変わった人が多く、ドンタクも個性が強めな人が多かったように思います。
繊細なシーケンスで音を組み立てているトラック、ただただノイジーなトラック、僕のようにがさつなシーケンスにがさつにエフェクターを効かせただけのトラックなど、各自の個性が音に反映されていることも学びました。

仲間の中には実際に会ったことのない人もいました。メーリングリストでの日々のコミュニケーションを通じて、そのような仲間からも、自分が作った楽曲のフィードバックがもらえました。褒められるととても嬉しかったです。会ったこともないけれど関心が近い仲間とのコミュニケーションが、とても楽しく感じられました。

ドンタクでは月に一度、コンピレーションアルバムを作成していました。各自が1曲を持ち寄って1枚のアルバムにしていたのですが、アートが得意な仲間はジャケットの制作を担当していましたし、レコード屋さんに置いてもらうための営業活動が得意な仲間はその役を、CDを焼く（CD-Rに書き込む）時間が取れる仲間は同業務を。それぞれが得意なことやできることを、誰に言われるでもなく、お願いされるでもなく、自ら率先して自発的に動いて行っていました。

このような仲間との共同作業をワイワイと（オンラインですが）賑やかに楽しむ時間がとても心地よかったです。一人ではなく、人を巻き込むことによる楽しさや喜びは、この頃から感じ取っていたように思います。

中島らもや劇団☆新感線にあこがれ演劇に夢中に

趣味の合う仲間とワイワイと楽しむ活動は、他の分野でも行っていました。演劇です。高校生から20歳になって結婚するまで、とにかく同時にたくさんの趣味をやっていました。

演劇は、高校生のときに『古田新太のオールナイトニッポン』を聞いて劇団員の生活を知る機会があって興味を持ちました。演じるのはもちろんですが、脚本を書くことにも興味がありましたし、何より、「公演」という共通の目的のために仲間とワイワイ盛りあがってそうな雰囲気がとても楽しそうに思えました。

特に好きだったのが、もちろん、俳優の古田新太さんが所属している劇団☆新感線、そして、中島らもさんのリリパットアーミー。三谷幸喜さんの東京サンシャインボーイズ、ウッチャンナンチャンが参加し、出川哲朗さんが座長を務めていた劇団SHA.LA.LA.もテレビで観ていてあこがれました。

個性的な仲間がまるで親友や家族のように共同生活を送りながら、地方行脚などをしていく。演劇をやってみたいというよりも、個性的な仲間との生活やコミュニケーションも含めて「劇団」という存在に魅力を感じていました。

自分でもそんな仲間とのコミュニケーションを楽しみたい。そう考えるようになり、少人数の高校生だけの劇団に入って、福岡市内の舞台に立つような活動にも、傾倒していくようになっていきました。

高校を卒業しても演劇を続けたい。東京に行けば、より個性的で多様な面白い仲間と出会えるのではないか。純粋に東京で一人暮らしをしてみたいとの気持ちもあったので、高校卒業後は上京し、池袋にある舞台芸術学院という演劇の専門学校に入学します。

仲間とワイワイやるのが好きです。正確には、仲間がワイワイしている姿を、ちょっと引いたところから見るのが好きな性分のように思います。立ち上げの声かけなど最初のきっかけは自分で作りますし、舞台を行う場所を押さえるような地味な活動も出来る限り自分が行う。そしてそのような自分の動きの結果、仲間が楽しそうにしている姿を見る。そのような一連の流れに幸せを感じますし、今でもこの気持ちは変わりません。

実際、東京でも良き仲間ができ、毎日、刺激的な日々を過ごしました。一方で、あることが頭に浮かびました。分かった、と説明した方が正しいかもしれません。人生そのものが演劇であり、舞台に立たなくても共に過ごす仲間は劇団であるということです。

だから何も、このまま劇団で演劇を続けていく必要はないな、と。箱は何であれ、仲間と楽しくワイワイしていることが、劇団であり、演劇そのものだと。そう思い、一転、当時すでに出会っていた今の妻と一緒に福岡に戻ります。

福岡に戻り20歳で結婚し、家業に入る

経営者の気質は、母親譲りだと思っています。というのも、僕は高校生の夏休みに、東京で生活を始める資金を稼ぐために掃除屋のアルバイトをしていた

んです。福岡の中洲川端駅や、福岡空港などが作業現場で、床や天井を水洗浄したり、ワックスがけするなどの仕事です。

朝早くから夜遅くまで働いて、家に帰ってから仕事先で学んだ掃除の方法を母親に話していました。そうしたら彼女は「うちでもできるわ」と言って掃除屋を始めました。母親は以前から洋服を仕入れて販売するなど、何かを自分で始める気質の持ち主でした。幼少の頃から「おはぎ」をつくって売っていたと聞いています。

一方、父親は、船乗りでした。大きな石油タンカー船の船員で、中東などに石油を積みにいく船に乗っていたため、家にはほとんどいませんでした。年に1、2回ほど、日本に戻ってきたときに、1～2週間家にいるだけでした。あとはずっと船の上、という生活を送っていました。仕事は、船体のメンテナンスなどを担当していたようです。

僕は高校を卒業して福岡の家から出て上京し演劇に夢中になり、福岡に残った母親は掃除屋を起業して次第に商売を拡大していきました。そして、父親も船から降りて母親の事業に参加しました。父親が船で行っていた塗装などの技術を活かして、家のメンテナンスやリフォームといったサービスも手がけるリフォーム業者として事業を拡大して法人化も果たします。のちに両親は離婚してしまいましたが、当時は二人仲良く仕事をしていたと思います。

僕は早生まれのため、東京で19歳で成人の日を迎えました。20歳になると大人。大人になったら家族を持ち、まじめにしっかりと働かなければいけない。当時は、そのような妙な先入観を持っていました。実際に20歳になり、僕は東京で出会った今の妻と結婚を約束し、福岡に戻り、これまでの不安定な生活ではなく、きちんと定職を持つために家業に入りました。

家業では3年ほど働きましたが、正直、僕には向いてなかったと思います。まず、もともと体力がある方ではないので、アルバイト程度だとまだよかったのでしょうけど、フルタイム、毎日の仕事で建築や掃除をし続けていくということが想像し難かったのです。

真夏の炎天下のもと、汗を大量にかきながらガソリンスタンドの塗装の塗り替え工事をしていて大変でした。

一方で、家業では帳簿付けなどが疎かになっていたので、関心を持って取り組んでみると、数字を見たり経営的観点で仕事を捉える業務が好きかもしれない、自分はこちらの方が向いているかもしれないと感じました。次第に、経営の領域に携わりたいという想いが強くなっていきました。今ではスプレッドシートで数字を見るのが辛くて、当時の想いは勘違いだったかもしれないと思いますが。

母親は経営者気質ではありましたが、経理に関してはルーズだったので、僕がしっかりと帳簿づけをすることで経営を良くしていこう。そう思って、雨が降って仕事にならないときは、勘定科目の一覧表と睨めっこしながらパソコンに数字を打ち込むことをやっていました。

そうこうしているうちに、極めて現場主義の父親と、経営に関心を持っている僕の意見が合わなくなってきたので、だったら自分で会社を興そうと家業を辞め、独立起業する道を模索し始めました。

DTP、八百屋で起業

福岡に戻ってきてからは、パソコンをPC-9801からMacintoshのLC630に変更し、パソコンを使ってイラストを描いたり、写真を編集したりができるようにもなっていました。そしてこの専門性を活かした仕事で起業しようと考えました。

掃除屋、塗装業から一転、肉体労働ではないデスクワーク、新聞の折込チラシのデザインから印刷までを担う仕事を始めます。いわゆるＤＴＰの請負いです。ただ、ＤＴＰの仕事はすぐに辞めてしまいました。

友だちと2人で始めたのですが、仕事をしていると友だちとの仲が悪くなっていくように思えたからです。このまま続けていくと友だちではなくなってしまう。僕としては、仲間とワイワイと楽しみながら仕事をしたかったので、再び仕事を変えようと決めます。

今度は、母親からの紹介で実業家のようなお金持ちのおじいちゃんに出会い、彼が八百屋を出店したいと持ちかけてくれたので、僕はその店の運営を任せてもらって仕事を始めました。福岡市内には天神というナイトスポットがあり、そこで、夜の仕事を終えた人たち向けに野菜を売ろうというアイデアでした。店の名前は「駄菜屋」。

八百屋はそのおじいちゃんが考えたアイデアであり、僕はいわゆる店長のようなもので、現場で実行する役回りでした。朝に天神から車で40分くらい離れた糸島のほうに野菜を仕入れに行き、お昼までに準備をして野菜を売り、夕方以降は売れ残った野菜をミキサーでジュースにして販売するなど、自分なりにアイデアをだしながら商売を続けてみましたが、八百屋も長続きせずにすぐに辞めてしまいました。商売がどうこうというよりも、そのおじいちゃんとソリが合わなくなって双方のコミュニケーションに問題を感じたからです。

仲間と何かをすることは好きだし楽しいけれど、仲間と仲が悪くなるのは嫌だ。こうして二度の起業のような体験をした後、とうとう就職しようと決めました。（121ページに続く）

会社は
「仲良しクラブ」
でいい

第2章

Chapter 2

工夫がコミュニケーションを加速させる

―― コミュニケーションはうまくいかなくて当たり前

僕たちは日々コミュニケーションを行っています。「書く」「話す」「打つ」など手法は様々ですが、コミュニケーションを行わない日は、おそらくないでしょう。そこで直面するのが、発信者と受信者の認識がズレること。その結果、トラブルに発展することもしばしば……。

僕は前提として**「コミュニケーションはうまくいかない」「コミュニケーションミスは起きる」**と割りきっています。だからこそ、気持ちが通じたときは嬉しいし、そのために工夫が必要だと思っています。本章では、コミュニケーションに効く工夫やコツについてご説明します。

コミュニケーションは うまくいかなくて当たり前

みなさん言うまでもなくご存じかと思いますが、コラボレーションを円滑に進めるためには、正しく目標を共有し、チームのメンバー同士が連携していることが重要です。また、そのためには相互のコミュニケーションが必要になります。

その「コミュニケーション」という用語の意味は、自分の意見や価値観・気持ちをしっかりと相手に伝えることだそうです。そして、相手の意見や価値観・気持ちもちゃんと理解すること。僕も、基本的にはみなさんと同じように、互いにコミュニケーションを通してチームが目標を共有しあえて連携できてこそ、コラボレーションは円滑に進むのだと思っています。

しかし、言うほどコミュニケーションは簡単ではないです。僕もコミュニケーションでしょっちゅう失敗しています。自分の意見や価値観は間違って伝わるし、相手の意見や価値観を間違って理解します。そもそも、コミュニケーションなんて失敗するのが当たり前だと思っていたほうが良さそうです。

経営者やリーダー層がよく口にしたり耳にしたりする「コミュニケーションがうまくいかない」というフレーズ。それはもう、コミュニケーションなんてうまくいかないのが前提であることを理解しておくことが大事だろうと思います。コミュニケーションがうまくいくなんて、そんなうまい話はないので、過度に期待しちゃいけない。

なぜ、コミュニケーションはうまくいかないのか。それはきっと、伝え方がすごく難しいから。さらに、伝えられたものを理解するのもすごく難しいから。日常的に、さも当たり前のように、伝えたり理解したりをやっているようで、伝えるということと、理解するということが、実は意外と高度な技術。そして、ざっくり言うと、人は多様だから。

相手が伝えようとしていることをしっかりと理解するためには、いったん、自分の過去の記憶や体験などを利用して、伝えられた内容を自分の頭の中で再現する作業をします。そして当然ですが、それぞれの記憶や体験が同じであるはずがないので、確実に何かが間違って伝わります。

例えば、ある2人が焼きそばについて意見を交わしたとします。福岡県出身のHさんの中では、焼きそばといったら地元の名店、「日田焼きそばの想夫恋」という店の、3年かけて習得した調理人の技とこだわりの麺と厳選された食材でつくりあげる焼きそばをイメージしながら話しています。さらに、想夫恋の焼きそばの特徴である卵が、焼きそばの中央に乗っているイメージです。

一方、東京が地元のSさんがイメージしたのは、カップ焼きそばのロングセラー商品インスタント焼きそばのペヤングでした。卵は乗っていませんし、値段も想夫恋の焼きそばと比べるとかなり安い。もちろん、想夫恋と違って、家で自分でつくって食べるものです。でも、2人はそのような〝ズレ〟に気づかずに、会話を進めてしまっている。

Sさん「お昼ご飯は（ペヤングの）焼きそばとか食べたいなぁ」
Hさん「へー、懐かしいな。（想夫恋の）焼きそばかぁ。昔よく食べてたよ」
Sさん「最近は、あまり（ペヤングの）焼きそば、食べないんですか？」
Hさん「（想夫恋の）焼きそば？だって、ここ大阪だよ？」
Sさん「いやいや、（ペヤングの）焼きそばだったら、すぐに手にはいりますよ」
Hさん「（想夫恋って）通販とかやってるの？」
Sさん「ま、まぁ、（ペヤングも）Amazonとかで買えるんじゃないですか？」

お互いがこれまでの記憶や体験を通して、各自の持つ「焼きそば」のイメージをベースにしてコミュニケーションが進みます。僕の創作話なので、すれ違いが分かりやすく大袈裟なコミュニケーションに見えますが、現実でもこのくらいのコミュニケーションのミスはいつも発生していると考えていいと思います。しかも、本人たちも気づかないうちに。そして、しばらくしてどこかで、壮大なオチが待っています。

Hさん「懐かしくなって、食べようと思ってさ、Amazonでずっと探したんだけど。全然見つからないよ、焼きそば。想夫恋の」

会話によるコミュニケーションにおいて、自分が発した言葉や書いた文章がどう理解されるかは、受け取る側の理解に委ねられてしまいます。その逆も然りで、相手の意思どおりに自分が理解したのかどうか、自分が相手の言葉や文章の意図をきちんと汲み取れたのか、その答え合わせはなかなか難儀します。

僕は、本屋さんでよく見かける「コミュニケーションが絶対にうまくいく」といった類の本を信じていません。お互い異なる人生を歩んできた者同士が、コミュニケーションをしたところで、絶対にうまくいくわけがないからです。繰り返しになりますが、コミュニケーションは絶対にうまくいかない。今、この瞬間、既にコミュニケーションは失敗して間違って伝わっている。もう、それくらい思っておいたほうがいいのです。

だから、コミュニケーションがうまくいかないことに残念がらない、勝手に失望しない、プンプン怒らない。コミュニケーションはうまくできなくて普通。うまくできたら、まぐれ、当たり。喜ぼう。ハグしあおう。お祭りだ。それくらいの気持ちをつくってコミュニケーションに挑んだほうが、余裕が生まれます。

うまく伝わらない。コミュニケーションのミスマッチは当然起こる。でもそれを重々承知のうえで、うまくコミュニケーションができるようにする努力は続ける必要があると思います。

例えば、オンラインのホワイトボードツール。ヌーラボではオンライン作図ツールと称している「Cacoo」は、まさにテキストと図を使って互いのアイデアなどを持ち寄り、認識のズレを最小にしていくツールです。

ヌーラボには海外オフィスがあり、海外の仲間ともプロジェクトでコミュニケーションをとっています。

日本人同士でもうまくいかないのが当たり前のコミュニケーションです。ましてや文化的土壌や、育った環境がさらに大きく異なる海外の仲間とでは、それこそ日本人同士よりコミュニケーションのギャップが大きくて、伝えたいことが思ったように届きません。

テキストと図を使えば、テキストだけのコミュニケーションよりも、認識のズレを少なくすることができ、BacklogやTypetalkのテキストだけで伝わりづらいコミュニケーションを、ビジュアルで補完してくれています。

コミュニケーションミスから新たなコラボレーションが生まれる

僕が初めてテレビを見て涙を流したのは、1989年のベルリンの壁崩壊のニュース。おそらく中学一年生だった僕は、東西冷戦時代にベルリンの街を分断した壁を壊し歓喜する市民の様子を観て感情が高まって涙が出てしまったのだけど、なぜ、そこまで感情が高まったのか、今となっては覚えていません。

大人になり、このベルリンの壁の崩壊は、一人の男の勘違いによって起こったことを後に知り、さらに感動しました。当時東ドイツの第一党だった社会主義統一党のスポークスマンであるギュンター・シャボウスキーさんが、ベルリンの壁からの出国を除く外国旅行の自由化の決議内容を勘違いして、「すべての検問所から出国が認められる」と記者会見で適当に答えてしまったそうです。それがきっかけで、記者会見を観た大勢の市民がベルリンの壁に押し寄せました。事態を把握できていない警備隊は市民の勢いに負けてゲートを開けてしまい、その結果、市民が次々とベルリンの壁を超えていきました。

翌1990年、ついにドイツの東西統一が実現。世界が変わる歴史的な瞬間になったのです。「歴史上もっとも素晴らしい勘違い」と言われるこの話、とてもお気に入りです。

コミュニケーションはいつもうまくいきません。

僕は、意思疎通の欠如や行き違いによるコミュニケーションロスが発生しているからといって、特に、ネガティブに考える必要はないと思っています。そう思うようにしないといけないほど、コミュニケーションは難しすぎます。一方で、コミュニケーションロスやミスがあったからこそ、新たに出てくるアイデアもあるのではないかとも思います。

自分の伝えたいことが相手に100%伝わると素晴らしいコラボレーションになるのかというと、それはそうではないと思います。

逆に、自分の伝えたいことは60%くらいしか伝わっていないけれど、残りの40%を自分ではまったく想像できないようなアイデアで相手が補完してくれて、おかげで素晴らしいコラボレーションになることもあります。

焼きそばを再び例に挙げさせてもらいます。HさんはSさんに「焼きそばを用意してくれませんか?」とお願いしました。当然、Hさんの中では地元の名店、焼きそばの中央に卵が乗っている想夫恋の焼きそばが浮かんでいますし、楽しみにしています。

でも、運ばれてきたのはまったく異なる、ペヤングのカップ焼きそばだった。最初はネガティブな気持ちなったHさんでしたが、ペヤングの焼きそばを食べてみると、想夫恋の味とは異なりますが、自分がこれまで食べたことのない、とてもおいしい味だった。

つまりHさんはこれまで体験したことのない嬉しい体験を、コミュニケーションミスによって味わうことができたのです。

他者とのコミュニケーションが上手にできない人を表す「コミュ障」という言葉がありますが、僕はあまり好きではありません。コミュニケーションできるのが当たり前で、できない者は「障がい」を持っているということでしょうか。今や、「障がい」は「個性」ととられるべき世の中なのに、この「コミュ障」という単語の恐ろしさ、よくありませんね。

コミュニケーションはうまく行われなくてもいい。もちろん相手に敬意を払ってうまくいくように努力することは必要ですが、その内容が上手か下手かなんてあまり重要ではありません。先のようにコミュニケーションロスによって、新たなおいしい焼きそばを食べることができたり、ベルリンの壁すら崩壊できたりする可能性があるからです。コミュニケーションが下手なのは個性のようなもの。そのくらいの余裕は持っておきたいものです。
大事なことはコミュニケーションがうまくいったかどうかではなく、相手からもらえたリアクションがゴールへ近づけるリアクションなのかどうかという視点です。共通のゴールを互いがしっかりと認識していることが重要であり、コミュニケーションにあまり過剰になる必要はないと思っています。

仕事の場でも、コミュニケーションミスより予想外の結果を得ることは少なくありません。例えば、僕が仲間に「○○のデータを出しておいて」とお願いしたことがありました。でも、その仲間は僕が伝えたようなデータではなく、別のデータを持ってきました。ところがそのデータのほうが、見たかったデータよりも全然価値のあるものだった。
これはもう、コミュニケーションミスなのか、それとも仲間がもの凄くセンスがある先読みができたのか、どっちかわからないくらいの出来事ですが、このような例はいくらでもあります。

「もっとコミュニケーションをうまくしたい」を過剰にやってしまうと、自分が正しいと思っていることや価値観を相手に押しつけようとしているようにも見えてくるかもしれません。相手の理解のなさを嘆くとき、もしかしたら自分の中に相手をコントロールしたいという意識が生まれているのかもしれません。

穏やかなイメージをつくって話しかけられやすくする

まだヌーラバーの人数の少なかった頃は「橋本さん」と呼ばれ、特に日常的な場面で「代表取締役」みたいな扱われ方をしてこなかったのですが、会社の規模が大きくなってくるにつれて、徐々に変わってきたなぁと感じることがあります。

例えば、エレベーターで入社したてのヌーラバーと一緒になったとき、緊張が伝わってきたりします。僕は僕で緊張しちゃうので、おそらく、互いに人見知りで緊張しちゃっただけなのかもしれません。でも、なんだか、僕が会社の代表だから緊張させてしまっているのではないかと思ったりします。エレベーターのその緊張した瞬間が、人数が少なかった頃から比べると「変わったな」と感じます。原因は、僕の肩書きというのもあるでしょうし、もしかしたら年齢の差とかもその要因になったりするかもしれません。僕には自覚がないのですが、エレベーターの中で突っ立っているだけで、入社したてのヌーラバーにとっては、そここの圧になっているのかもしれません。

こういう「存在感だけで圧」になってしまう現象も、地味にコミュニケーションに影響している気もします。できるだけ僕から「圧」を感じないで欲しいのですが、仕方がないです。僕の人間性がどうであれ、僕のことをあまり知らない人からは、「代表取締役」というだけで世間がイメージする「社長」のように、厳しそうに見られたりするわけです。

また、ある一定の年齢以上になると、普通に過ごしていても怒っているように見えるらしいです。怒ってないのに、勝手に怒っていると認知されてしまう。確かに自身が若かったときのことを思い出すと、年上や立場を持っている人というだけで、少し怖かったような気もします。

学生や若い社会人がアポイントをとって会いにきてくれたりするのですが、ときどき「お話しするまでは怖い人かと思っていました」と別れ際に言われたりします。まだまだパブリックイメージを柔らかく見せる努力が足りないのかなぁ、と思ったりしてしまいます。代表取締役という立場で、相手からしたら一回り以上年齢が違っていたら、怖いイメージを持たれてしまう。これは仕方がないことなのでしょうね。

特に社内の人に怖いイメージを持たれてしまうと、僕への「報告」「連絡」「相談」がしにくくなって、僕への情報の透明性が低くなってしまいます。そうなると、僕が代表として気づかなくちゃいけないネガディブな情報を知ることも難しくなってしまいます。例えば何かトラブルがあったときも、僕はそれを知りたいのに「橋本さん怖いし、怒られるから、報告するのをやめよう」なんてことになったら、それこそリスクです。

だから、僕はみんなにできるだけ穏やかなイメージを持ってもらいたいと思っています。話しやすいと思ってもらいたい。というか、僕の本当の性格や思いとは別に、立場や年齢だけで怒ってみられるマイナススタートなので、せめてゼロまでイメージを回復しておきたいです。

周囲に怒っていないように思われるためには、いくつかとってはいけない行動があるように思います。周囲にヒアリングしてみると、例えば「ため息」もあまり良くないようです。自分では特に意識することなくため息をつくクセがあるのですが、僕がため息をつく姿がプレッシャーに感じることがあるようです。

また、取材などで撮影される際に「腕を組んでもらえますか？」とフォトグラファーの方から言われたとしても、できれば断るようにしています。それよりも、場が和むような、写真を見たら思わず笑ってしまうような、ちょっとだけふざけたポーズになるように意識しています。記事のアイキャッチやトップの写真が、強面の腕組み姿ではなく、ふざけた姿に変わるだけで、記事の内容の印象も変わると思いますし、パブリックイメージが柔らかくなって、素の自分との差異が少なくなるような気がしています。

このように自分なりに工夫を続けていた結果、おじさんであることは変わりませんが、「怒っているのかな?」と不安がられることも少なくなって、いたって穏やかで平和で平穏なコミュニケーションができているんじゃないかと感じています。どうでしょう?

信用ファースト——まずは相手を信じる

初めて会った素性をまったく知らない相手でも、まずは自分が相手を信じるように心がけることが、コミュニケーションをするうえでは重要になってきました。

オフラインのコミュニケーションでは、何度かやりとりを重ねて、相手のことを少しずつ理解していくプロセスを踏んでいくことが習慣になっています。やりとりを重ねたうえで、この人は信頼に値する、だから心を開こう、仕事をお願いしよう、もっと、コミュニケーションを深めようと判断していきます。コミュニケーションの段階を踏んで徐々に相手のことを信用していくのです。つまり、信用は「築く」ものになっています。

オフラインのコミュニケーションであれば、このようなフローでもよかったのかもしれません。しかし、オンラインでこのようなコミュニケーションをとっていると、必要以上に時間がかかってしまい、ビジネスとして成り立ちません。特に業務のやりとりにおいては致命的です。

だから、オンラインでのコミュニケーションでは、オフラインとは順序が逆で、まずは相手を信じることが重要だと思っています。まずは自分が相手を信じることからコミュニケーションを醸成していく。信用ファーストなアクションです。名前も、顔も、画面上にはキャラクターのアイコンしかない場合でも、まずは相手を信じるのです。

リアルの場で習慣としてやっていた「信用を築くコミュニケーション」は、築く側にその責任がありました。相手にどうすると信用してもらえるかを考え、相手の要求や要望などに応えていって徐々に信用してもらったり、場合によっては地味でコツコツとしたことを長く続けて徐々に信用を勝ち取っていったり。信用はゆっくりと溜まっていくものでした。

オンラインのコミュニケーションでは、相手を信じるほうに責任が移動します。オフラインでは、相手が信じるに値する行動をとるかどうか、相手の努力次第なので相手のことを信じることはコントロールではないと思っていたかもしれません。しかし、実は、信じることは自分がコントロールできることなのです。

オンラインでは、いきなり相手を信じて進めなければ、信用を築くために必要なエモーショナルなやりとりもできませんし、距離によっては実際に会うことによって得られる安心感も得難いので、何も進みません。

信用ファーストのコミュニケーションに変わることで、信用構築の時間が省けるのでビジネスとしては速度が速く進むようになります。オンラインのコミュニケーションに慣れてくると、オフラインでも信用ファーストで進めたほうがいいのではないかと思えるほど、スピード感が高まります。

僕たちも以前、オフィスにヌーラバーが集まり仕事をしていました。そこでは信頼を築くためのコミュニケーションがあったかもしれません。ところが、2020年4月以降に入社した新しいヌーラバーは全員、オンラインによるフルリモートワークになりました。さらに、採用時の勤務地条件も廃止しました。

オンラインで採用選考を行い、一度もオフィスにくることなく、最終面談を行い、最後の内定まですべてオンラインでのやりとりです。入社後は、出社したい人は出社してもいいのですが、出社したとしても誰もいない。勤務地がヌーラボのオフィスがある地域から離れている場合は、入社してから今まで出社したことがないヌーラバーまでいます。誰もオフラインであったことのないヌーラバー。

そのような環境下では、新しく入ってきた仲間をまずは信頼するところからスタートです。採用段階で得たスキルやスペックに関する情報を、まずは信用する。

そもそも採用段階で得た情報を信用しない、疑いの気持ちを持つという時点で、コミュニケーションとしてはゼロ以下になるマイナスなので、そのような状態やマインドもよろしくない。

実際、入社後、期待どおりの成果を出してくれているヌーラバーばかりですし、そもそもメンバー同士でBacklogを用いてお互いの動きを確認できますから、もし問題が生じても、最悪の事態になる前に解決できる。

仮に、アサインしたプロジェクトでパフォーマンスが出せなかったとしても、他のプロジェクトにアサインすれば、きっと、結果を出してくれるだろう。常に、このような信用ファーストの気持ちで接することが、重要だと思っています。

ヌーラボでは結果的に、勤務地条件を廃止して、今までだったら出会えなかった人たちがヌーラバーとして入社し、信用することによって、新たな可能性の幅が広がることを知りました。

一時は自分達の立派なオフィスを持てて仲間と一緒の場所で仕事ができることを喜んでいましたが、フルリモートワークになり、まるでオンライン上の知らない人と一緒に音楽活動していた頃や、オープンソースの活動をしていた頃のような気持ちが戻ってきています。

怒りの感情をコントロールする

極力、怒っているように見えないよう、穏やかでいるように努めても、やっぱりイライラするときもしょっちゅうあります。自分のことを客観的に見るように意識して、怒りの感情を覚えたときはそれをコントロールできるようになることが大事です。

ヌーラボでは研修として「アンガーマネジメントセミナー」をしています。イライラや怒りと上手に付き合い、怒ることによって生まれる後悔を少なくする心理トレーニングです。僕もとても気に入っている研修で、「怒るべきことは怒る」、「怒らなくていいことは怒らない」ということができる人が増えることを期待しています。アンガーマネジメントを学んで、怒りの感情で後悔しないように、怒りを上手に表現できるようになって、コミュニケーションに活かしていきたいです。

アンガーマネジメントで大事なポイントは3つしかなく、今からすぐに実践できます。まずは、怒りの感情のピークは初動の6秒間なので、その6秒間をやり過ごすこと。ピーク時に反射的に反応すると、ボキャブラリーが少なくて見ていられない幼稚な喧嘩になるので、じっと6秒我慢です。

次に、自分の「願望」「希望」「欲望」を象徴する言葉である「べき」の境界線を広げること。人は自分の理想と他者を交えたときの現実のギャップに怒りを感じます。そこで相手の意見などが自分と違っても、それを許容する範囲を意識的に広げましょう。

僕が社内でこの話をするとき、みんなで共有できるたとえとして、「唐揚げレモン」問題を取り上げます。ある人は唐揚げにレモンを絞ってかけることが常識だと信じて、周りに許可を得ないでレモンを絞ってしまっているのですが、一方で、唐揚げにレモンをかけたくない人もいます。この場合、唐揚げにレモンをかけない派の人は「レモンをかける人もいるんだな～」と許容範囲を広くするか、もしくは事前に「私は唐揚げにレモンはかけない派です」と伝えると良いようです。

最後に、自分でできることに注力することです。自分が怒ることによって状況を変えることができるものに関しては怒る。自分で変えられないことやコントロールできないこと、重要でないことは放っておく。そうやって分類して行動をコントロールすること。例えば、重要でもなければ自分でもコントロールできない芸能ニュースなどは放っておいていいのです。

文章は重要な内容を前に持ってくる

リアルに会う＞ビデオ通話＞チャット

お互い齟齬のないコミュニケーションをするためには、リアルに会うのが一番であることは間違いありません。次が、オンラインによるビデオ通話。ヌーラボではVRヘッドセットを支給しており、もしかするとVRがビデオ通話の代わりになる時代も来るのではないかと思っているのですが、まだまだビデオ通話のほうが手軽なようです。そして最後が、Typetalkなどのチャットによるやりとりではないでしょうか。

一方で、コストや時間は逆転します。リアルに会うためには、それこそ福岡に住んでいる僕が東京のクライアントに会うためには、飛行機に乗り、時間もお金もかけて移動する必要があります。

ビデオ通話は通話相手の時間を拘束してしまう点において、それなりのコストがかかります。一方、チャットやメールはいつ見ても、いつ返信しても構わないので、とにかくコストがかかりません。

状況や内容に応じ、それぞれのコミュニケーション方法を選択することが大切だとは思いますが、個人的には一番コストのかからない、チャットによるコミュニケーションに移行していくのが良いと考えています。

コストがかからないこともポイントですが、コミュニケーションのやりとりがチャット上にテキストとして残っていることで、後から見直したり検索したりといった使い方ができることも大きいです。言った、言わない、といったコミュニケーションロスもなくなります。

ただし、テキストによるチャットは誤解を生むケースも少なくないので、注意や訓練が必要です。

例えば僕は伝えたいことが端的に要約されている文章にするよう心がけています。連絡があったことをスマートフォンやパソコンに通知されたときに、パッと表示されるバナー表示におさまるくらいに、端的にまとめることができればガッツポーズです。

具体的には、伝えたいこと、重要な内容は文章の前に持ってきます。また、チャットのやりとりでよく見られる「了解です！」といった受け答えの文言。多くのやりとりが発生しているコミュニケーションでは、何に対して了解かが不明瞭なため、「〇〇、了解です！」としたほうが相手には親切です。

もちろん、適当な雑談をしている場合は全然気にしなくていいと思いますが、何を指しているのか不明瞭な「それ」「これ」「あれ」といった指示語もできるだけ使わないようにします。業務連絡をしている場合は、5W1Hなども意識しながら、端的かつ具体的に、伝えたい内容を相手が理解してくれるような文面になるように意識すると、オンライン上でのテキストでのコミュニケーションでも、スムーズに進むと思います。

〝雑談〟を意識したイベントや仕掛けでコミュニケーションを深める

ヌーラボには、海外のヌーラバーも参加しているプロジェクトもあるため、オンラインによるコミュニケーションは、今のようにオンラインによる業務やコミュニケーションが広まる前から、当然のように行っていました。

例えばCacooの開発チームは、福岡、東京、札幌、ニューヨーク、アムステルダムに所属するヌーラバーで構成されています。そもそも住んでいる地域は、業務においてはそれほど関係ありませんでした。

一方で、直接会ってのコミュニケーションも大事だと捉えています。影響が大きいのは「雑談」です。リアルで会うことができれば、当たり前のように生まれる雑談が、オンラインでのやりとりでは、どうしても業務だけのコミュニケーションになってしまいがちです。

ましてや、フルリモートワーク移行後に入社したヌーラバーは、一度もオフィスに出社していません。何かの手続きで訪れた程度はあるかもしれませんが、オフィスで仕事を行い、仲間とリアルにコミュニケーションをしたり、雑談するような機会はほぼゼロ。このような状況は、フルリモートワークを導入した多くの企業で同じではないでしょうか。

後でも触れますが、仕事を楽しくするためには、社員は所属している会社に対してエンゲージメントを高く持つことが、重要です。エンゲージメントには大きく3つの要素があります。「ビジョンの理解」「行動意欲の喚起」「共感」です。フルリモートワーク、オンラインだけでの業務のやりとりでは、3つ目の「共感」がどうしても薄くなりがちだと感じています。会社や仲間に対する愛着や絆とも言える部分が希薄化してしまいます。

ただこれは、仕方のないことでもあると思っています。リアルなオフィスで実際に他の仲間と会っていないと、どうしても「深く相手のことを理解している」という感覚が得づらいからです。

僕たちは社員のことを、社名をもじってヌーラバーと呼び、共感を醸成していますが、オンラインだけのコミュニケーションでは、どうしてもヌーラバーになった感覚が薄くなりやすいと思います。

その結果、どこかよそよそしいコミュニケーションになってしまう。そこで、オンラインでありながらも、オフラインで当たり前のように生まれていた他の仲間や会社に対する共感や絆を生めるよう、意図的に雑談の時間を増やしています。

いろいろな仕掛けやイベントを行い、雑談を通じて、相手の個性や人柄を知ってもらうようにしています。

すごろくトーク

新しく入ってきたヌーラバーのほぼ全員が体験しているのが、「すごろくトーク」です。名前のとおり、オンライン上で5、6名がすごろくを行い、自分が止まったマスに書いてあるお題について話す。ゲーム感覚の雑談です。マス目には「人生で最初に取り組んだ仕事」「最初に買ったゲーム」「今週末の予定」といったお題が書かれています。

すごろくトークがユニークなのは、順番がまわってきた人がトークするだけでなく、そのトークに対して他の参加者が、自分はこうだったといった具合で、会話を重ねていけるところです。

当事者のコメントももちろんですが、会話を重ねていくことで、1時間ほど経ってすごろくがゴールしたときには、参加者全員の考え方や価値観が、何となくではありますが、理解できています。業務でのやりとりだけでは到底知り得ない情報を得たことで、エンゲージメントは高まっていくと思っています。

部活動

社内の部活動も、お互いの考えや価値観、嗜好などを知り得る機会となっているようです。漫画部、園芸部、カメラ部、アクアリウム部、ゴルフ部、スキー部、ヨガ部、登山部、カレー部、自作キーボード部、個人開発部など。

カテゴリーは自由。3名以上が集まり、月に1回以上活動すれば、会社から正式に部活動と認められ、一人につき3部の活動までの一定額の補助金が出ます。そのため多くのヌーラバーが部活動に入っていて、現在、部活の数は50以上あります。

特にフルリモートになってからはオンラインでもできる部活動が盛んで、新入社員はもちろん、普段の業務ではあまり交流のないヌーラバー同士のつながり、コミュニケーションを醸成する場の役割を果たしています。

社内報

ヌーラボの社内報は、なるべく多くのヌーラバーに登場してもらうことにこだわっています。そして、普段の業務でのやりとりだけでは分からない、そもそも知らない、意外な一面を知ってもらうことで、お互いのコミュニケーションが円滑に進めば、と期待しています。

例えば最近では、開発エンジニアでありながら、プロのスケートボーダーとしても活躍しているヌーラバーを紹介しました。プロスケートボーダーの活動内容から、仕事とどのように両立しているかなどをヒアリングして、記事化しています。

普段はエンジニアなので、スケートボードの会話が出ることはなかなかありません。そのような普段は知らなかった一面を他の仲間が共有するからこそ、新たなコミュニケーションやコラボレーションが生まれるだろうと。

また、ヌーラボの社内報にヌーラボをよく知る社外の人たちにも登場してもらい、外の人からヌーラボはどのように見えているのか。そのようなことも伝えています。

Small Talk（1on1）

部署や所属しているチームに関係なく、誰とでも1on1できる取り組みが「Small Talk」です。開発や経理といった部門からは独立した、コミュニケーションやヌーラボの文化を推進・醸成する役割を担うチームを設け、そのメンバーがSmall Talkを担当しています。1on1だからといって、上司が担当する必要はありません。とにかく何かを話したい。誰かとコミュニケーションをしたい。コミュニケーションの壁打ち相手をチームメンバーの中から指名する制度です。とにかく誰でもいいから話したいという場合には、ランダム、という設定もできます。トークの内容に関しても、ルールはありません。雑談でも構いませんし、エンジニアとして今後どのように成長したいのかといった、キャリアアップの話でもOKです。内容を会社側に開示することもありません。評価にも一切関係ありません。

会社としては、先ほど話したように「こんな仲間がいる」ということを実際のコミュニケーションを通じて知ってもらい、エンゲージメントの構成要素でもある「共感」の部分を、高めてもらいたいのです。

そのため、もちろん自由ですが、近い部署のメンバーや上長というよりも、どちらかといえば普段の業務とはまったく関係ない部署、いわゆる縦のつながりではなく、横、斜めのつながりを、Small Talkを通じて醸成してもらえれば、と思っています。

新しく入ってきたヌーラバーが仲間の個性や、会社のカルチャーを知ることはもちろん、以前はリアルに雑談が行えていた既存のヌーラバーにも好評のようです。

現在チームメンバー数は10名ほど。普段はそれぞれ開発やカスタマーサポート、広報などの通常業務をしていますが、１on１が入れば対応しますし、会社全体として何か新しい制度や取り組みを始めるようなときは、必ずヒアリングされるような存在です。

ヌーラボのカルチャー、文化をよく知っていて、引っ張ってもいる。そのような、欠かせない存在でもあります。

世界中の仲間がリアルに集い5日間にわたりお互いを知り合う「General Meeting」

ヌーラボのスタートは受託案件業務でした。一方で、会社とは別に行っていたＯＳＳコミュニティのように、自分たちの手で新たなプロダクトを開発し、多くの人たちに使ってもらいたいという思いも、当然持っていました。

そのため起業してしばらくすると、受託案件業務と自社開発業務の2軸でビジネスを進めていました。すると段々と受託案件業務担当のエンジニアと、自社開発業務のエンジニア間の関係性がネガティブになってしまい、ヌーラバー同士の仲が悪くなりました。

当時僕が想定していた問題は、仕様や技術選定に関して自己決定感が薄い受託案件と、その逆に、自己決定感の高い、始まったばかりの自社開発だと、やはり幸福感の差があり、後者が羨ましく見えるという点でした。そもそもエンジニアの思考として、何か新しいプロジェクトや新しい技術に触れることに、やりがいやチャレンジングな気持ちを抱くものです。

もしくは、両チームのミッションやビジョンの違いで、互いの価値観が分かり得ない状態になったのかもしれません。いずれにしても、両者の間に溝ができてしまったのは必然だったのでしょう。一方で、このような溝や対立はごく一部のヌーラバーの間で起こったことでしたし、当初は影響の少ないもののように感じていました。

ところがわずかのネガティブマインドであっても、そのままの状態が長く続くと、チーム、会社全体に嫌なネガティブマインドが浸透していきます。このままではまずいと思い、今すぐ受託案件業務をなくすことは難しいけれど、いずれは自社開発業務一本に絞ると決断しました。

受託案件業務を担当しているヌーラバーには、今の経験がいずれは自社開発業務に活かされると思って、もうしばらくの間は取り組んでほしい、と対話を重ねました。さらには事業計画書としてきちんと目に見えるようにすることで、共通のゴールとして共有しました。

その後、受託案件からは撤退。すべてのヌーラバーが自社開発業務に携わる、今の体制となりました。

ただこの出来事で、あることを学びました。社員同士のギスギスを甘く見てはならない。最初は小さなものでも、いずれは会社全体を疲弊させるような大きな歪みになってしまう。いつでも仲間同士が楽しくいられる環境を継続する必要があります。

このような体験から生まれたのが、世界中のヌーラバーが福岡に結集して触れ合う「General Meeting」。全社員参加型の社員総会です。社員総会の名はついていますが、普段は遠く離れているヌーラバーがリアルに、それも一堂に会することで、お互いの考えや感情を交換してもらいたい。そのうえで強烈に楽しい、ポジティブな思い出をつくってもらいたい。それらを実現する場です。

そして、より良い関係性が築けたことで、あらためて普段のリモートワークに戻ったときにも、仲の良さはもちろん、業務そのものにもプラスの影響があるのではないか。そのようなことを期待して始めました。

イベントでは、京都、東京、ニューヨーク、シンガポール、アムステルダムの各事業所のヌーラバーだけでなく、他のエリアでもリモートワークを行っているヌーラバーも含めた、まさに全ヌーラバーが福岡本社に結集します。

新型コロナの影響で国内の移動や日本への渡航が困難になる前までは、5日間にわたりさまざまな催しやセッションを重ねることで、社員同士の交流を深めていきました。会社に対するエンゲージメントの高まりも期待しているので、ビジョンの共有や事業計画などを発表する場も設けています。

仲間ととにかく楽しく、ワイワイと遊ぶことが一番です。そしてそのようなコラボレーションから、新たな予想外の何かが生まれるのではないかと、僕も毎回楽しみにしています。

ヌーラボらしく、イベントの企画・構成・進行なども、有志の仲間が自発的に行っています。旅費交通費はもちろん、宿泊費用などは当然会社持ちなので、それなりにコストがかかります。

ただ他のグローバルな組織をつくっている企業を見ていると、同じように、それこそ僕らよりもはるかに巨額のお金をつぎ込んで、世界各地でイベントを行っています。

特に、業績が好調なグローバルカンパニーでは、そのような傾向が強いと感じています。やはり、それなりの成果があるからでしょう。

これまではオンラインのビデオ会議でしか会ったことがなかった。あるいは、チャット上のテキストでしかコミュニケーションがなかった。そのような遠方の仲間とリアルに会い、業務以外の相手の人間性の部分にまで触れることで、確実にその後の業務がスムーズに進んでいると感じています。

仕事は仕事、プライベートはプライベート、そう分けたほうがいいという意見もありますが、僕はそうは思いません。一緒に働く仲間のプライベートな部分。もちろん、あまりに深いところまで知り過ぎるのはよくありませんが、それなりに相手のヒューマニティ（人間らしさ）を知ることで、愛着、共感、絆といったマインドが醸成されるからです。

実際、General Meetingのイベント終了後にアンケートを実施すると、イベントの前と後では、自分が所属するチーム以外との会話が39・6%増加し、71・8%のヌーラバーが、以前と比べ仕事の依頼がしやすくなった、と回答しています。次のような声も聞かれました。

「オフラインで共に取り組んだ思い出がオンライン中心でのコミュニケーションを補完してくれ、ストレスが減る。その結果、効率が上がる」
「イベントの企画業務を通じて、他の部署の仲間と仲良くなることができた」
「オンラインでは素っ気なく見えていたテキストが、イベントで実際にその人物に会ってからは、笑っているように見える」

効率化を進めるためにオンライン、デジタル化を進めることももちろん大切なワークフローであり、経営施策であることは間違いありません。一方で、デジタルとアナログのバランスも大事です。デジタルの先にある、より良いものや仲間との関係性を構築するには、あえてアナログ的な遠回りをして、コミュニケーションすることが必要なのではないか。日常の業務だけでは分からない、見えないヒューマニティに触れることで、絆やエンゲージメントは高まっていくのではないか。このように考えています。

Column 2

プログラマーから3度目の起業、ヌーラボ創業へ

ヌーラボができるまで［中編］

プログラマーになるが〝落ち着きがない〟と指摘される

二度、自分の商売を継続できませんでしたが、いずれまた起業しようと考えていました。一度、一般的な組織に入ってみて、経営や組織というものがどういうものなのかを体験したい、勉強してみたいという思いがあったので、その再起のときまで人材派遣会社でプログラマーとして働くことにしました。また、

入社時に作文を提出する必要があったので、文末に「3年後には退職して起業します」と書いて提出し、静かな情熱を燃やしていました。

将来の起業を念頭に置いて、ファミリーコンピューター時代からの趣味の延長で持っていたプログラミングスキルを活用して、とうとうＩＴ業界入りをし、プログラマーとして働きだしました。その時は二人目の子どもも生まれており、ちゃんと継続できる仕事の必要性も感じていました。幼い時からずっと飽きずに触り続けているパソコンを仕事にすると、継続できるはずという確信もありました。

ところが、その人材派遣会社でも問題が起きます。僕は幼い頃から落ち着きがなく、長い間じっとしていることができません。そのため小学生の頃は、授業中の長い間、椅子に座っていることができませんでした。

時間が経つにつれ、特に授業が面白くないと感じると、自覚はあまりないのですが、身体をクネクネと動かしたり、ひどいときは椅子から離れてウロウロと歩き回ったり。そのため小学校の通信簿には6年間「落ち着きがない」と書かれていました。

今でこそ、落ち着きがなくじっとしていられない性格だということを自分でも自覚しているのでそれなりに対処できていますが、子どもの頃はどうしてもできませんでした。リラックスできない緊張した時間が長く続くとじっとしていることができないため、特にテストは大問題でした。

中学入試、高校入試、ＴＯＥＩＣなどさまざまなテストをこれまで受けてきましたが、どうしても耐えることができずテストの途中で退出してしまうことがありました。中学受験は、テストの合間の休憩時間に一人で校庭で遊んでしまって、テスト再開の時間に遅れてしまい受験に失敗しました。

このような幼い頃からの癖というか性格が、人材派遣会社で受けていたＯＪＴのときにも出てしまったのです。その結果、「あの人がずっと騒いでいるのでＯＪＴの邪魔だ」など、クレームを受けることもありました。いわゆる、問題児だったように思います。

一方で、興味のあることや好きなことについては何時間でも時間を忘れてのめり込むことができるので、プログラミングスキルの習得については楽しくて集中できました。ただどうしても、仕事っぽい作業はつまらなくて面白くなかったです。

プログラミングには興味があるけれども、仕事はつまらない。もっと楽しくしていきたい。次第に、ＯＳＳ（オープンソースソフトウェア）のコミュニティ活動に傾倒していくようになっていきました。

Backlogの原型を生み出すＯＳＳコミュニティを立ち上げる

派遣会社のエンジニア仲間などと一緒に「Mobster（モブスター）」というＪａｖａ言語の勉強会なども行うプログラミング言語のコミュニティを立ち上げます。海外発のＯＳＳの情報をいちはやくキャッチアップし、日本で広めるための勉強会を行ったり、ソフトウェアの開発手法などについて学んだりしていました。さらに僕たちは、自分たちでソフトウェアを開発し、それをＯＳＳとして公開し始めました。

ＯＳＳというのは、ソフトウェアの作成者がソースコード（プログラム）を公開して、利用や改変、再配布が自由に許可されているソフトウェアのことを言います。例えばMobsterでは、現在のBacklogの一つの機能である、多数のユーザーが共同でウェブブラウザから直接コンテンツを作成・編集ができるＷｉｋｉ

のシステムを作成して公開しました。

コミュニティのＷｅｂサイトも開設して積極的に情報発信するようにもしていました。次第に、Ｗｅｂサイトを見たプログラマー達が仲間に加わってくれるようになり、音楽をやっていた頃のように、会ったこともない人たちとメーリングリストで交流するようになっていました。

勉強会は福岡市内で所属していた人材派遣会社のオフィスや大学の教室をお借りしたりして開催していたのですが、東京から飛行機に乗って参加してくれる人がいたりすることもあり、コミュニティは段々と盛り上がりを増していきました。

Ｗｅｂサイトでの情報発信に加えて、プログラマー向けの専門誌にも寄稿していき、とうとう書籍執筆なども頼まれるようになりました。とにかく面白いと感じることをMobsterでやってみました。ストリーミングで音声配信するインターネットラジオみたいなこともやってみました。「どんなプログラムを書いたときに気持ちいいか？」みたいな内容でリスナーからの意見を集めて僕らがワイワイと話している音声をインターネットで配信しました。

Mobsterの活動に限らず、劇団、テクノミュージックのコミュニティでもそうでしたが、僕が面白く感じてワクワクするのは、このような自然の盛り上がりが起こるときです。特にビジョンや目標を掲げることなく、まずはプログラミングや音楽や演劇など、共通の趣味や好きなことを持つ仲間が集まって、その楽しい仲間と楽しいと感じることを試していって、気づくと面白いコンテンツがどんどん創造され、その活動を通してさらに仲間が増える。そのような現象の渦の中に身を置くことをとても面白く感じていました。

Mobsterはそのとき、小さなムーブメントになっていたように思います。人が増えていき、活動量が増えていくと楽しみが増えるのはもちろん、何だか分からないけれど大きなことを成し遂げられるのではないかと期待が高まっていきました。

ある仲間は、当時はまだ今ほどに浸透していなかったブログシステムに関心を持ち、「これからはブログが広まるので一緒に開発しよう」と言ってきました。その後、その仲間が中心となりブログシステムを開発し、ＯＳＳとしてMobsterで公開しました。

他にも、パスワードの記憶に関して天才的な才能を発揮する仲間もいました。どんなに複雑なログインパスワードであっても記憶できる、なんだかホワイトハッカーのようなスキルの持ち主で、こんな人が本当にいるんだと感心したことを覚えています。

ヌーラボの共同創業者たちも、Mobster時代の仲間です。そして、ヌーラボが現在提供しているBacklogのようなソフトウェアも、このMobsterの活動の中でも挑戦していました。当時は、現在のようなプロジェクト管理ツールというよりは、バグトラッカー、イシュートラッカーのようなものでした。

家族のために収入をアップしたくて再び起業を決意

プログラマーとして仕事に就いても落ち着きはないままでしたが、クライアントから指名されてお仕事をいただけるなど、プログラマーとして着実に評価されるようになっていきました。ＯＳＳコミュニティの活動が評価され、自分の名前でプログラミングに関する書籍を出版していたことも大きかったと思います。

次第にプログラミングの請負業務だけでなく、クライアント先の開発チームのコンサルティングのようなことも任せていただけるようにもなっていきました。たとえば、ウォーターフォール型の開発をしている組織に対してアジャイル開発の手法に置き換えていくようなお仕事もありました。

一方で、仕事の内容と比較して給料はそれほどアップしませんでした。年収にして400万円に届くか届かないかくらいだったと思います。当時は結婚して子どももいましたから、正直、この金額では生活が厳しかったのです。また、入社時に決めていた3年で独立する期限も迫っていました。

独立して自分でやったほうが収入面も含めていいのでは、と考えるようになったので、人材派遣会社の人に独立したい気持ちを素直に伝えました。

すると、ありがたいことに認めてくれて、いわゆる円満退社での独立となりました。人材派遣会社の社長は僕を飲みに連れて行ってくれて、ワインをご馳走してくれました。また、後日、人材派遣会社を通じて仕事をさせていただいていたクライアントとも、間に誰も入れずに直接やり取りしたい旨を伝え、ある程度の期間を経てそのクライアントとも直接契約ができるようになりました。その懇意にしてくれたクライアントは地元では有名で、規模もそれなりに大きな会社だったので、創業時から事業はスムーズに進み、お仕事がなくて困るようなこともありませんでした。

あらためて3回目の挑戦をし、とうとうプログラマーの会社「ヌーラボ」の経営者となりました。気持ちとしては、これまで楽しくやってきたコミュニティ活動と何ら変わらずやっていこう、もっともっと楽しくやっていこう、と思っていました。その結果として、お金も稼げたら最高だと、そんな気持ちでいました。

設立した会社はコミュニティと同じく、ビジョン、ミッションなどを特に定義していませんでした。いわゆる経営計画も立てていませんでしたし、自分の中では「カジュアル創業」といった感覚でした。

ただ、ざっくりとしたイメージはありました。とにかく楽しく。給与も含め、エンジニアが働きやすい会社にしたい。もうひとつ、こちらもかなりざっくりではありましたが、福岡で一番になりたいと。ただ、何で一番なのか。具体的な目標は決めていませんでしたが。

Webサイトに通常ビジョンやミッションなどの文章が掲載されているような部分には、会社のコンセプトとして次の文章を掲載していました。

突然ですが、ソフトウェアはアートです。

優れたソフトウェアはまるで北欧家具のようにユーザの生活に溶け込み、実用性のある美しさ、職人が作り出す貴賓を感じさせます。

私たちのゴールはそのようなアートウェアをご提供することです。

アートウェアはソフトウェアなソフトウェアです。

お客様の要望を満たすために敏速に対応できる柔軟さと信頼性を併せ持ちます。

俊敏さと柔軟性こそがお客様のビジネスの競争力を引き上げるものと信じています。


（159ページに続く）

会社は
「仲良しクラブ」
でいい

第3章

Chapter 3

最強のチームは偏愛あふれる一匹狼の群れ

――メンバーの多様性がチームの多面性になる

ヌーラボは、それぞれ好きなことや得意なことを持っている人材であふれています。彼ら彼女らは僕と同じく、コダワリやオタク気質といった「偏愛性」を持っています。逆にいえば、同じような人はいない環境でもあります。

マネジメントの立場に立てば、個性の違いが邪魔になることもあるでしょう。しかしコラボレーションでは、個性の違いこそがチームの強みになります。メンバーの多様性がチームの多面性に昇華され、最強のチームを形づくるのです。

本章では、偏愛あふれる一匹狼の群れのつくり方についてご説明します。

「一匹狼の群れ」こそ最強のチーム

一匹狼とは、集団の力に頼らないで自分だけで行動する人、自発的に単独行動をする人、という意味のようです。自分の確固たる意見がある、自律的な人のようにも感じます。物事にストイックに取り組んで、自分自身に誇りを持ち自己肯定感が高い。

僕はいつからか「一匹狼の群れ」という言葉やコンセプトを持つようになっていました。自分でつくった造語なのか、それとも何かで読んだ知識なのかも分からないくらい、自然と頻繁に使うようになっていました。

一匹狼はそもそも、言葉どおり一匹で行動することを好む習性があるので、「一匹狼の群れ」というのは、言葉としては矛盾しています。しかし矛盾する二つのワードを重ねると何かしら意味が生まれることがあるので、僕はよくこのような言葉を造ります。最近では似たようなフレーズで「集団ソロキャンプ」という言葉も気に入っています。

一匹狼が群れたチームこそ、最強。みんな自律的で、それぞれに自分の好きなことにストイックに取り組んでいて、各自とても自己肯定感が高い、そのような一匹狼的な仲間を集めたチームはつくりづらいけれど、そのぶん強くなる。これまでとはまったく異なる何か予想外な新しいアイデアが生まれる。そう考えています。

「私、失敗しないので」の台詞が代名詞の人気テレビドラマ『ドクターX』。このテレビドラマに登場する大門未知子さんのチームも、まさに僕がイメージする一匹狼が群れた、最強のチームかもしれません。

大門先生に限らず、麻酔医師などもフリーランスでありながら、卓越したスキルを持っています。だからこそ、大病院のドクターで結成されたチームでも処置できないオペを、まさにドラマの台詞そのままに、失敗しないでコンプリートしてしまう。旧態依然の体制に反旗を翻しているあたりもシンパシーを感じます。

僕も含めてですが、一匹狼たちは、いわゆる「普通」のことや、一般的な会社では当たり前のことやルールに違和感を覚え、異を唱える者が多いと感じます。だからこそ群れから離れて行動してしまうのですが、そういう感覚を持ったヌーラバーも多くいると思います。

自分が考えているやり方が正しいはずなのに、世の中の当たり前や会社のルールが間違っていたり遅れていたりする。なので、そこを離れて自分の思う正しいやり方で進んでいきたい。昔の僕も、もしかしたらそう思って一人でさまよっていたのかもしれません。

でも、自分の思う正しいやり方で進んで何かを成し遂げるためには、一人ではなかなか難しいということに、割と早い段階で気づきます。だから本来は群れることは好きではないけれど、結局、同じ匂いのする仲間と組んで、自分だけでは成し得なかったことに仲間と共に挑戦しだします。旧態依然の体制が嫌いで一匹狼になったけれど、近しい仲間であれば興味が湧いて、結局、新しい群れを形成するのです。

過去の自分がそうだったので、集団を離れて一匹狼になろうとする人に出会うとワクワクします。いずれ、仲間を集めて群れになって、新しい未来をつくるんだろうなと思うと、応援したくなります。

偏愛家とは？

この業界に入ろうと思った頃に、とあるＩＴの専門家の講演を聴きに行きました。いただいた言葉はすごく印象的だったのですが、すでに先生がどなただったのかも忘れてしまいました。講演の内容は、ホームページの作成方法といったごく普通のものでした。当時、僕はパソコンを使った仕事がしたくてたまらなかったので、講演が終わったのと同時に先生のところに駆け寄って、「ホームページの作成も含め、プログラミング、ＩＴを武器に商売としてやっていきたいと考えています」と伝えました。

なぜ、そんな行動をとったのかよくわかりませんが、おそらく情熱が先走ってしまったのでしょう。するとその先生は「商売としてやるのであれば、現在のレベルよりももっと深いところまで勉強する必要があるよ。商売敵は今の君のような人（コンピューターオタク）になるのだから、オタクを超えるくらいの追求をしないと、仕事として通じないよ」。そんな感じのアドバイスをくださいました。

この言葉を頂戴した僕は、素直にオタクを超える努力の必要性があると考えました。そして、その後はさらにプログラミングや自作パソコンなどにどっぷりとのめり込んでいくようになります。

偏愛家とは、あまり一般的ではないものや事柄について、特別に強い愛情、執着を持っている人を意味する言葉です。僕は、特定分野のスキルや情報に特化した「オタク」や「偏愛家」という存在が好きです。

一方で、「プロフェッショナル」という言葉もありますが、こちらは特定分野のスキルや情報について職業上特化した人というニュアンスを感じます。あくまでお仕事として専門家をやっているようなイメージがあり、僕はあまり好みません。プロフェッショナルよりも、好きで好きで、好きが過ぎて専門的になっていった偏愛家のほうに敬意を表したくなります。

例えば、プログラミング言語であれば、一般的ではないちょっとニッチな言語をこよなく愛しているような人。一見一般的な仕事に見えるようなものだと、単なるＷｅｂマーケティングのプロフェッショナルではなく、ＳａａＳのＢ２Ｂ領域のＷｅｂマーケティングに強い愛を感じて妙に特化している人など、特定領域に尖って強い関心と愛を持っているような人が好きです。

僕は最近、カレーをスパイスからつくることにハマっています。玉ねぎをキツネ色どころかヒグマ色になるまで炒めてトマトを入れ、自分で調合したスパイスをどっさり鍋に投げ込んでグツグツ煮る、その工程が楽しくて仕方がありません。とにかくスパイスを4種類以上、多いときは8種類くらい、大量に使ってカレーをつくります。

スパイスの専門店に足を運ぶこともあります。あるお店の親父さんがとても偏愛的な人で、スパイスの話になると、こちらが聞いてもないのに次々といろいろなことを教えてくれます。僕も興味はあるので、「なるほどなるほど」とうなずいていたら、そっと「ヒング」というスパイスをカウンターの棚から出してくれました。ドリアンを凝縮したような強烈な香りを発することから、「悪魔の糞」とも呼ばれるスパイスです。プラスチックの容器に詰められて、さらにそのプラスチックの容器をガラスの瓶に入れておかないと臭いが漏れて周りが臭くなるほど、ヤバいやつです。親父さん曰く「インドではカレーに必ずこれを入れるくらいハマっている人が多いんだよ」。

親父さんはニコニコしながら「耳掻き一杯でいいから入れてごらん」と言いながらそのヒングを売ってくれるのです。そんなにアピールしたいのであれば、カウンターの棚ではなくてもっと目立つところに置いて売ればいいのにと思うのと同時に、共感してくれそうな人にだけ教えるお茶目さにとても好感が持てました。

偏愛家はプロフェッショナルのように融通は効かないかもしれないけれど、状況によってはプロフェッショナルのもっと向こう側にいる人たちなのかもしれません。

偏愛家の数だけいろいろできる

僕も含め、ヌーラボには大勢の偏愛家がいます。その偏愛ぶりをプロダクトに投じていけば、ヌーラボの強みになります。そして偏愛家が大勢いればいるほど、チームとして強くなると考えています。かなりニッチな、特定領域ではあるけれども、その領域に関しては誰にも負けないスキルや思い入れを掛け合わせることによって、誰も予想できないものができたり、誰も追いつけないサービスが提供できたりするからです。

例えばヌーラボのサービスにひとつのアカウントでログインできる「ヌーラボアカウント」には、認証と認可に関連する周辺の深い知識が必要になります。

認証と認可はユーザーの立場だとあまり意識することはないと思いますが、情報セキュリティ上ではとても重要な概念です。認証はログインしようとするユーザーが本人かどうかを確認する技術で、認可はログインしているユーザーがアクセスした情報を見る権限があるかを確認する技術です。

パッと聞いた感じでは難しく、かつ堅苦しく、なかなか興味を持てないのではないでしょうか。こういった専門性の高い知識は、おそらく偏愛に似たそれなりの興味関心がなければ、なかなか身につかない知識だと思います。そして、ヌーラボにはその専門知識を持ったヌーラバーがいます。

なぜそこに興味を持ったのか理由はよく分かりませんが、おそらく、認証や認可の技術を知ることに知的な喜びを感じるのでしょう。認証や認可に関することはそのヌーラバーに任せておけば、確実に間違いのない判断や仕事をしてくれるはずです。

他にも、Ｇｉｔ周辺の開発をずっと続けているヌーラバーがいます。Ｇｉｔとは、複数のプログラマーやＷｅｂデザイナーがチームになって、オンラインでソフトウェアを開発するときに、ソースコード（プログラム）やドキュメントの編集履歴などを管理するシステムのことです。粘り強く継続的に開発していく背景には、相当な愛が必要になるのだろうと思います。

経営コンサルタントのジム・コリンズさんが書かれたベストセラー『ビジョナリー・カンパニー2—飛躍の法則』（日経ＢＰ）という書籍を読まれた方は多いと思います。その中に次のような一文があります。

『「何をすべきか」ではなく「誰を選ぶか」からはじめれば、環境の変化に適応しやすくなる』

今、僕が書いているこの書籍でも何度か伝えていますが、最初はビジョンや目標を掲げることなく、まずはプログラミングや音楽や演劇など共通の趣味や関心を持つ仲間が集まり、次にその仲間で目標を決める、という進め方を好んでいます。ヌーラボの創業時も目標は特にありませんでした。

「誰を選ぶか」が非常に大事なポイントで、僕はとにかく偏愛家を選んだほうがいいと思っています。

偏愛家というのはとにかく能力が高くて、知識も深く、行動力もあります。さらに、自分でモチベーションをつくる能力も持っているので、わざわざ積極的に動機づけをしていく必要がありません。

偏愛家が集まり、次に、みんなの偏愛を集めると「何ができるのか」「何をすべきか」を決めて、目標をつくって進んでいきます。その能力の数が、チームがとれる幅で、各能力の深さがチームの強さになります。偏愛家の数だけいろんなことができます。依頼を受けて動くプロフェッショナルの出番は、その目標ができた次のフェーズでしょう。

僕は偏愛家が好きなので、偏愛家を軸とした組織づくり、一匹狼の群れをつくりたくなるのですが、チームが育って組織が大きくなってきたとき、「属人性」が課題になってきます。僕は、属人性があるからこそ誰にも追いつけないものができるんだと主張しますが、一方で、その偏愛家がいなければ仕事が進まない、その偏愛家しかできない仕事なので本人が休むことができないなど、属人化された仕事には問題があることも十分に分かります。

属人性を必要とする深みと、属人性を排除しなければならない仕事の間で、悩みは尽きません。妥協案としては、誰でも一定の品質の仕事ができるような属人家の排除の仕方ではなく、同じ分野を好む偏愛家を２人以上にして、少なくとも一人だけに依存しないようにしておくという感じでしょうか。

多様な偏愛家の集まりだけどコアは一緒

ヌーラボでも継続的に偏愛家な新しい仲間を迎え入れて、多様性のある組織にしていくことが経営の観点でも重要だと捉えています。そのためにも採用活動はとても大事なものだと考えています。

例えば、ＬＧＢＴＱなどを含めたうえでの性別、外国人、シニア、障がい者など、属性の多様性。働く時間や場所、副業や兼業などといった働き方の多様性。そして、意見や価値観、経験、職能、ライフスタイルの多様性。とにかくたくさんの違いが「当たり前」である組織にして、たくさんの違いを持つ人たちに仲間になってもらわなければなりません。

しかし、多様性を許容することは、誰でもいいからどんどん仲間に加えていくということではありません。例えば、ヌーラボで公開しているダイバーシティとインクルージョンのポリシーでは、多様性のために自分と異なる考え方を許容することが大切と訴える一方で、「多様性を認めない」ことは許容しないと明記してあります。多様性に寛容な組織であるために、ヌーラボは多様性への不寛容には不寛容であらねばならないのです。

また、ミッションやバリューへの共感も大事です。ヌーラボのミッションは「To make creating simple and enjoyable」です。グローバルなチームのミッションなので英語になりますが、日本語にすると「創造をもっと容易に楽しく」といった感じでしょうか。社内では日本語に翻訳することでニュアンスが変わってしまうので、英語のまま理解するようにお願いしています。また、後に詳しく説明しますが「Try First」「Love Differences」「Goal Oriented」のバリューへの共感はさらに大事なものかもしれません。バリューへの共感は「誰を選ぶか」に一番深く関係している要素になるからです。

バリュー以外にも、多くのヌーラバーに共通しているけれど未だ言語化していない要素もある気がします。例えば、創造的活動への関心や原体験を持っているかどうかです。そのうえで仲間とのコミュニケーション・コラボレーションが仕事を進めていくうえで重要だと考えていることも大事な要素です。

採用で注目するのは、創造的活動への関心や原体験

ヌーラボの採用プロセスは、まず書類選考、次に一次面接、最終面接、内定、そして意思決定をしていただくという流れになっていて、僕は最終面接に参加するようになっています。そこで僕は雑談をしながらも、バリューへの共感度が高いか、創造的活動への関心や原体験を持っているかどうかという部分に着目してい

ます。

これは、多くの組織、人事担当者が持つ悩みかもしれませんが、採用・面接のときは多くの人が「いい人」になっているので、バリューへの共感などが本物かどうかを判断するのはとても難しいです。ただ、創造的活動への関心や原体験を語るときはごまかしが効きません。体験していないことは深く語れません。

僕の場合は、本当はあまりよろしくないことは重々承知していますが、了承をとったうえで、一見業務とは関係のないプライベートな部分を聞くようにしています。繰り返しますが、あくまで本人に了承をとったうえで、です。

簡単な例をあげれば「ものづくりは好きですか？」と聞いて「はい」と返事が返ってきたら、これまでどのようなものづくりを行ってきたのか、技術、プログラミングに限ったことではなく、まさにプライベートにまで踏み込んで聞いていきます。

例えば若い頃に音楽制作などを経験してきた人には、有名アーティストの楽曲をコピーしていたのか、それともオリジナル曲をつくっていたのかを聞きますし、一人で黙々とやっていた活動なのか、バンドのように何人かでやっていた活動なのかも深掘りしていきます。さらには出来上がった楽曲を、人前で演奏したことはあるか、ライブハウスはどのように押さえたのか、観客への告知や集客はどのようにしたのか、などいろいろと聞いてみます。

多くの人はこれらの音楽活動を、趣味やプライベートのように話すのですが、僕は仕事に近いものだと思って聞いています。音楽活動はものづくりからパッケージング、マーケティングまでの要素が全部詰まっています。音楽活動ではありますが、しっかりと活動していた人であれば、音楽かソフトウェアかの違いなだけで、僕らが商売でやっていることと同じようなことを経験してきていると考えるからです。

仕事上で自社サービスの開発やマーケティングに携わった経験がなくても、趣味やプライベートな活動を通して商売に必要となる経験をしている人は、かなりの数いるはず。だからこそ面接で聞くようにしています。

音楽に限ったことではありません。イラストや動画など、対象は何であれ、ものづくりや表現活動が大好きで、場合によっては、その出来上がったものを価値観が近い仲間と一緒に、より多くの人に知ってもらう活動を「趣味」でやる人は、おそらく仕事でもできます。

僕は、そういう創造的な気持ちを持っていて、制作活動や販売活動に喜びを感じるということがとても大事だと思っています。

ヌーラボでは2021年5月に「採用ポリシー」を発表させていただきました。僕らが採用活用でとっているスタンスを明文化したものです。採用活動を通してヌーラボというコミュニティの仲間を増やしていくことを心がけており、学歴、年齢、ジェンダーは一切不問。履歴書自体の提出も任意としています。

採用ポリシーやダイバーシティとインクルージョンのポリシーなども公表することで、ヌーラボがどのようなカルチャーを持っている組織なのかを、採用サービスのスカウトメールなどではなく、もっとオープンでアクセシブルな場所で多くの人に見てもらうようにしています。

このような活動は、ヌーラボの本質を〝さらけだす〟という表現のほうがしっくりくるかもしれません。僕たちは自分達の考え方をさらけだして、そのうえで、共感する人に仲間になってほしいと思っています。

できるだけ多くの人にヌーラボのことを知ってもらい、共感する人は仲間に加わってもらいたいので、コーポレートサイト、ブログ、プレスリリース、ソーシャルメディアなどもちろん、いろいろなところでヌーラボらしさをさらけだしています。

フェスのような社内イベントを開催

前の章でも紹介しましたが、ヌーラボのGeneral Meeting（社員総会）は、さまざまなイベントやワークショップが5日間にわたり開催されるイベントで、まるでフェスティバルのような雰囲気です。

タイムテーブル自体が音楽フェスのようなデザインですし、各種イベントを見ても「バンド演奏」「お菓子づくり」「利き酒」「ハッカソン」「3Dプリンターの実演」など。僕が行う事業計画の説明を除いては、ワークショップのコンテンツがかなり多く、面白そうな内容の企画がズラリと並んでいます。

実際、General Meeting開催中は、カスタマーサポート対応以外の業務は一切止まります。とにかく徹底して遊ぶという業務を通じて、ヌーラバー同士のコミュニケーションとコラボレーションの醸成を促進することが狙いです。

参加自由なので、タイムテーブルに記載されている各種イベントやワークショップへの参加は、各ヌーラバーが自由に決められます。全員が参加してもらいたいとは思っていますが、そこは一匹狼たちが相手なので、強制することはありません。どのような人たちがヌーラボで働いているのかを視覚や聴覚、そして身体で感じ取ってくれるだけでいいと考えています。

例えば2019年のGeneral Meetingでは、クラブを借り切ってヌーラバーによるバンドのライブも行われましたが、踊りたい人は踊ればいいし、踊っている人を見るのが楽しい人は、ただ座って眺めていればいい。実際、まわりがワイワイやっている中で黙々とゲームに夢中になっているヌーラバーもいます。

業務はストップしていますが、オフィススペースも開放しているので、ワークショップが行われている別のフロアでは仕事をしているヌーラバーもいたりします。海外のヌーラバーがせっかく来ているのだからと、ミーティングが開かれていることもあります。当然、それも重要なコラボレーションです。

General Meetingという大きな場はこちらで提供しますが、あとは自由。ゴールは、とにかく楽しむこと。そして一人でも多くの仲間の人間らしさを知ることです。ちなみに18時以降は、お酒も解禁となります。

一匹狼の群れは別れを惜しまない

自分は仲間と何か新しいことをワイワイとすることが好きだとここまでお話ししてきましたが、一方で意外とドライだったりもします。

例えば、それまで楽しく過ごしてきた仲間と別れるときや、コミュニティが解散するような場合も、特に惜しむようなことはありません。実際、Mobsterはすでに解散していますが、名残惜しいとの気持ちはありませんでした。

東京の劇団をやめて福岡に帰るときも、特に悲しい気持ちはなく、あっさり仲間と別れました。

もちろん、仲間と過ごしている時間は楽しいですし、仲間を大事にする気持ちもあります。ただ、別れがあれば出会いもあります。また別の場所で、別の仲間と楽しいことが待っています。別れても、将来、また、ひょんなことから一緒になする可能性もあります。

このあたりを言葉にして説明するのはなかなか難しいのですが、仲間と楽しむこと、ワクワクすることは大好きでいつまでもしていたいですが、仲間感を味わいたいために、仲間と組んでいるわけではないのです。

今の仲間は、今、そのときそのために集まった即席の群れでしかなく、各個人が自分の人生を歩んでいる、自主性を持った人たちです。僕としては、個人の判断を尊重して、惜しむことなく送り出すのが良い姿勢だと考えます。

一方で、新しい仲間が加わるときは盛大に祝いたいです。別れよりも出会いを大事にしたい。

多様な仲間がいるからこそ多様な人が使えるツールが開発できる

多様な価値観を本質的に理解しているかいないかでは、コミュニケーションやアウトプットに大きな違いが出ると考えています。

例えばヌーラボであれば、まわりの仲間たちやユーザーさんを見渡せば、まさに多様です。そのため新しい機能開発や改善を行おうと思ったら、国籍はもちろん、身体的特徴、考え方、捉え方などを画一的ではなく、まさにまわりの多様な人たちと重ね合わせながら、さまざまな想定をしてソフトウェアをつくり込んでいけます。

世の中はグローバル化していき、同時にダイバーシティという言葉をいろんなところで耳にするようになりました。でも、単に知識として世界には多様な人たちやさまざまな価値観を持っている人がいる、ということを知っているだけ。そのような人が多いようにも感じています。

そうではなく一歩踏み込んで、実際に多様な仲間と日々、触れ合う。共に、働く。そのような環境でものづくりを行うことで、ダイバーシティ&インクルージョンの本質を理解していければ、その結果、多様な人が使いやすいプロダクトが生まれるのだと思っています。

一匹狼の群れが福岡市をスタートアップ都市に

2021年現在、ヌーラボ本社のある福岡市はスタートアップが盛んだということで有名になっています。それは2012年に福岡市の市長である高島宗一郎さんがスタートアップの創業支援などを行う指針を示した「スタートアップ都市ふくおか宣言」に端を発して、行政の支援策がたくさん施され、チャレンジのしやすい都市になったことがきっかけではないでしょうか。

その「スタートアップ都市ふくおか宣言」が行われたのが、僕もかかわっている明星和楽（https://myojowaraku.net/）というイベントおよび、コミュニティです。

明星和楽は「テクノロジーとクリエイティブの祭典」というコンセプトを掲げているイベントですが、参加者が自ら持ち出しで、ギブ・アンド・ギブの精神で続けていくうちに、気づけば数千人規模の人が参加するようになっていました。大きなムーブメントとなり、自治体の方も含めて多くの人の気持ちを動かしたことも、コミュニティだからこそできるのではないかと考えています。

２０１１年8月頃、ブランコ株式会社の山田泰弘さん、株式会社サイノウの村上純志さん、62Complex株式会社の市江竜太さんと僕が集まり、何か大きなことをやりたいという衝動に任せて企画したのが始まりだったと記憶しています。当時は東日本大震災もあり、日本が少し暗いムードに包まれているときでした。

それから約3か月後の２０１１年11月11日、昼はスタートアップの起業家によるピッチコンテストやテクノロジー、ゲーム、アニメ、そしてアートなどについてのトークショー、夜はクラブイベントを、3日間ぶっ通しで行いました。集まったのは１３００名弱の人々。

イベントにはMistletoeの孫泰蔵さんもスーパーバイザーとして参加いただき、さらには市長の高島宗一郎さんにもスピーチをしていただきました。

他には、スマートニュースの浜本階生さん、GMOペパボやCAMPFIREを創業した連続起業家の家入一真さん、元株式会社gumi、現株式会社Thirdverseの国光宏尚さんなどの起業家も多くスピーカーとして参加していました。

起業家だけではありません。カメラに関するコンテンツを動画配信しているYouTuberのジェットダイスケさん、映像と音楽を融合させたゲーム「Rez」や音楽ユニットの元気ロケッツのプロデューサー水口哲也さん、チームラボ株式会社の猪子寿之さんなどなど名だたる人たちがスピーカーとして、関係者として協力してくれました。

そこで、高島宗一郎さんによる「スタートアップ都市ふくおか宣言」です。一匹狼の群れはグッと向かうべき方向を見つけて走りだしました。

明星和楽は、本書を執筆している2021年11月に開催されたものも含めて、これまで16回にわたり、さまざまなイベントや催しを開催して、まさに偏愛家の一匹狼が集い、新たなものやことが生まれるような活動をしてきています。

起業家が起業をしようとしたときに目標や目的を明確にしたほうがいいという人がいます。場合によっては、目的がないなら起業しないほうがいいと言われることもあります。

そういう価値観のもと意見をするのはいいと思うのですが、あまり強く言うものでもないし、押し付けるのもどうかと思います。とても正論に聞こえるので、もっとまろやかに言ったほうがいいかもしれません。

僕は目標や目的が明確じゃなくても、とにかく起業してしまうというのも有効だと考えています。『ビジョナリー・カンパニー2—飛躍の法則』に書かれているとおり、『「何をすべきか」ではなく「だれを選ぶか」から始めはじめれば、環境の変化に適応しやすくなる』、『偉大な企業は、適切な人をバスに乗せ、不適切な人をバスから降ろし、次にどこに向かうべきかを決めている。』です。

まずは目標も目的も決めず、ウズウズしている一匹狼な偏愛家と群れ、「どんなことをしてやろうか」とイタズラ心を燃やしてみるのも、一つの正しいやり方だと思います。即興演劇のように。

Column 3

楽しく仕事ができるツールをつくって、世界をもっと良くしたい

……………………ヌーラボができるまで［後編］

金融機関向けの基幹システムなどで使われていたOSSのコミュニティにも参加

OSSコミュニティはMobster以外にも携わりました。「Seasar（シーサー）」というOSSを開発している開発者コミュニティです。Seasarは、株式会社電通国際情報サービスの比嘉康夫さんを中心に、株式会社スターロジック（当時）の羽生章洋さん、株式会社グルージェント（当時）の栗原傑亨さんが立ち上げ、

Javaのフレームワークなどを開発し、オープンソースとして提供しているコミュニティでした。コミュニティの名前は、比嘉さんが沖縄出身なので、沖縄に由来する名前になったそうです。

僕が関わっていたOSSのコミュニティには、3つくらいの役割がありました。とにかく何かしらの形でOSSに貢献する「コントリビューター」、ソフトウェアのプログラムを書き換える権限を持つ主要開発者である「コミッター」、コミッターの大ボスでソフトウェアの仕様なども決める「チーフコミッター」です。

僕はMobsterでは設立者兼運営者でしたが、Seasarではひとりのコントリビューターとして参加することから始めました。まずはフレームワークを実際に使い、不具合を発見して、コミュニティに報告するような活動をしていました。

SeasarやMobsterに限ったことではありませんが、OSSコミュニティの特徴や魅力は、このようなコントリビューターやコミッターの存在で、ソフトウェアの質がどんどん高くなっていくことだと考えています。

そして、利用した感想をフィードバックしてくれたり、なにかしら貢献してくれる仲間が多ければ多いほど、多角度の視点からフィードバックが得られるので、不具合に気づくスピードも当然早くなります。

ＯＳＳへの貢献方法は不具合を見つけることだけではありません。新しい機能を提案したり、ソフトウェアを配布する際の添付文書である取扱説明書的な「Readme（リードミー）」というファイルに、ソフトウェアの導入の仕方についてまとめたり、文章中の「てにをは」を修正したり、ソフトウェアに対して直接的な行動以外でも、ＯＳＳに対するコントリビュートはできます。

コントリビューターやコミッターの多くは本業があるにもかかわらず、終業後の夜中や休日などに活動していました。特に誰かが指示を出したわけでもないのに、自らの意思でアクションを起こし、自分のできることでコミュニティに貢献していく姿勢がありました。

貢献することによって感謝されることがＯＳＳに貢献するモチベーションになりますが、そのような活動をすることが自分にとって純粋に楽しく、仲間の言動やソースコードから新しい知恵を得ることができることもエンジニアとしてのモチベーションになります。

ギブ・アンド・ギブの精神

特に草創期のコミュニティでは、見返りを求めることなく「ギブ・アンド・ギブの精神」で、とにかく自ら積極的に動いてコミュニティに貢献する人の存在が重要だと思います。僕自身もそのように行動するように意識していることでもあります。

多様な人たちがいることも重要です。Seasarでも、先に書いたテクノミュージックのコミュニティと同様、それぞれが自分の得意な分野で貢献していきました。

プログラミングが得意な人は、とにかくコードを書く。新しいプロダクトを触ることが好きな人はフレームワークを使って不具合を発見して報告する。コミュニティの仲間は、エンジニアだけではありませんでした。プレゼンテーションやファシリテーションが上手な仲間は、勉強会やカンファレンスで司会や進行役を務めました。Seasarのカンファレンスでは、700名もの参加者が集うこともありました。

Seasarのコミッターは500名ほどまでの規模になり、OSSの知的財産権管理や開発コミュニティの支援をおこなう特定非営利活動法人（ＮＰＯ法人）を設立するまでになっていました。そして開発されたＪａｖａフレームワークは、今でも大手企業や金融機関の基幹システムで使われていると聞きます。実はヌーラボの「Backlog」や「Cacoo」でも２０１９年くらいまで利用していました。

僕は会社もやっていたこともあって、組織のマネジメントもできるようになっていたので、次第にＮＰＯ法人の運営にまわるようになり、最終的には株式会社Abbyの米林正明さんなどと一緒に理事まで経験させていただきました。

楽しく使えるコミュニケーションツールを自分たちの手で作りたい

ＯＳＳコミュニティを通じて、あらためて仲間と一緒になってコラボレーションすることで、自分たちの手でこれまでになかったソフトウェアを開発して、プロダクトやムーブメントが生まれる喜びや楽しさを知りました。

仲間との楽しいコラボレーションから生まれたプロダクトは、同時に利用者にも喜びを提供します。利用者とＯＳＳコミュニティの間のコミュニケーションを通じてコラボレーションが生まれ、プロダクトはより一層使いやすくなり、より便利な機能が追加されていきます。

このような自発的なコラボレーションでドライヴしていくものづくりは、とてもエキサイティングで、僕は心の底から楽しいと感じます。そして、この楽しさをＯＳＳコミュニティだけでなく自分たちの会社でも感じていきたいなと、考えていました。

そのようなコミュニティ活動を背景にしながら、自社ではBacklogの開発が本格的に進んでいきます。MobsterやSeasarのＯＳＳコミュニティや、演劇活動、テクノミュージック好きが集まったドンタクのときに感じていた「仲間と楽しくワイワイ取り組めば良いものがつくれる」という感覚を信じて。

２００１年ごろ、「マネーの虎」という深夜のテレビ番組が放送されていました。自分のやりたい事業や夢のプレゼンテーションを「虎」と呼ばれる大物起業家達に向けて行い、気に入ってくれれば、虎が自身のお金で投資を行うリアリティ番組です。ヌーラボを創業する直前、僕は『『明るく楽しいグループウェア』を作って売りたい」というアイデアを持ってオーディションを受けたのですが、見事にオーディションで落ちてしまいました。３、０００万の出資をお願いしていたのですが、今となってはその見積もりがとても甘かったことがわかります。オーディション、落ちてて良かった。

開発現場やオフィス業務においても、コンシューマー向けのサービスのように、明るくて楽しく、それでいて新たなコラボレーションが生まれるような、コミュニケーションを活発化するツールが作れないか、自分たちがそのようなツールが欲しい。そのように思っていました。

ただ自分は家族のために収入を得ることも起業の目的のひとつだったので、クライアント先に常駐するなどして毎月の売上を作ることに専念しており、Backlogは僕を除いて、共同創業者のひとり縣俊貴さんを含むヌーラバーたちによって開発されていった、というのが実際のところです。

見た目は鮮やかに、独自の絵文字やキャラクターを考案し実装

イシュートラッカー（課題管理システム）やバグトラッカー（不具合管理シ

ステム）自体は、すでに世の中にいくつかありましたし、実際、僕たちも開発する際に使っていました。仕事のツールなので当たり前なのかもしれませんが、ほとんどのツールが使っていて楽しくなかったのです。使いたい、と思えるものではありませんでした。

まずは、見た目です。これはイシュートラッカーに限ったことではありませんが、多くの業務ツール、特にBtoB向けのソフトウェアは画面のデザインが地味であったり、配色もグレーっぽい薄い青など、使っているとまさに業務的に感じ、機能は問題はないけど楽しくないと感じるものがほとんどでした。

業務用のソフトウェアは、気分があがってくるような見た目や使い勝手ではないと感じていましたし、このような傾向や特徴は、現在でもあまり変わっていないと思います。

そこで僕らは、まずはシンプルで遊び心のあるインターフェースが重要だと考え、基本の配色は、当時の業務ツールではほとんど使われていなかったグリーンを採用します。

工夫は色だけではありません。キュートなキャラクターを考案してプロダクトのアイコンにしました。今ではBacklogの代名詞ともいえるゴリラです。実はこのゴリラ、共同創業者のひとり田端辰輔さんが、会議中にホワイトボードにふと書いた落書きがもとになっています。

ユーザーアイコンや絵文字なども、それまでの業務ツールでは使われていないような、携帯電話などで使用されるカジュアルなものをふんだんに盛り込みました。

本名ではなく、ハンドルネームの設定もありとしました。いかにもビジネスシーンで使われるようなお堅い印象を与えるユーザーインターフェースとは真逆で、とにかく柔らかい、使いたくなるような工夫をほどこしました。

ヌーラバーだけでなく、交流のあったＩＴ関係のコミュニティの仲間にも、どんなツールだったら使いたいかのをヒアリングして調査するなどをして、反映していきました。

たとえば、今でもBacklogの人気絵文字の「ごますり」「ぺこ」「てへ」などはその代表例で、この絵文字はユーザーさんからのリクエストで生まれたものです。一般的に利用されている絵文字やアイコンはもちろん、もっと使いたくなる、あったら楽しいと思うイラストを次々と作成していきました。

その結果、気づけば一般的なプロジェクト管理ツールと比べてかなり特徴的な個性をもつツールになっていました。２０１７年にはBacklog独自の絵文字を世界共通のものにリニューアルしましたが、「ぺこ」などの絵文字の復活に対するユーザーの要望が相次ぎ、一部の絵文字はそのまま残しました。今でも使うことができます。

Backlogをローンチしてみると、想像していたとおり「色味が明るくてテンションが上がる」「コミュニケーションが気軽に取れるようになった」と嬉しい声が届きました。

一方で、「なぜ、仕事用のツールに絵文字が必要なのか」といった批判的な声も少なくありませんでした。

ただ僕たちが開発をしているプロジェクト管理ツールは、仕事を楽しくしていただくことが目標なので、まずはそれを理解してくれる人にどんどん使っていただきたいと思いました。プロダクトのコンセプトがブレるといけないので、そのスタンスに対して批判的な意見はあまり取り入れないほうがいいかもしれないと感じていました。

ＳＮＳなど、今のコミュニケーションツールによくある「いいね」機能は、当時の業務系ツールにはほとんど備わっていませんでした。そこで僕らは「スター機能」を実装しました。本来は賞賛を贈りあうための機能として実装して、嬉しいコメントやアクションに対する感謝の意思表示として利用されていますが、コメントを既読した合図として、さらにはアンケートのような用途にも使われるなど、多くの可能性を生みました。ちなみに、スター機能の実装に取り組んだのはのちにビジネスチャットツールのTypetalkを作った当時入社したばかりの吉澤毅さんでした。

楽しさを盛り込んだのは、ツールのユーザーインターフェースだけではありません。宣伝の仕方も同じく、楽しさを前面に出したものとしました。たとえば２００６年に出した広告はまさにその代表格です。パッと見は業務ツールの宣伝とは思えないギャグタッチのイラストを使った広告で展開しました。

キャッチコピーや説明文をとっても、他の業務ツールとの違いは明らかでした。多くのプロダクトが効率についていかに優れているかを訴えているのに対

して、Backlogは使ったらとにかく楽しいということを前面に出していたからです。

コミュニティでの学びを機能として実装

もう一つ、Backlogの仕様を決めるうえで影響していると思われる僕らのカルチャーがあります。OSSコミュニティなどで学んだ、ギブ・アンド・ギブという考え方です。Backlogでは自ら率先して動く、自主性、行動意欲を促すようなユーザーインターフェースを好んで採用しています。

小さな違いのように思えますが、自

発的な行動ができる組織とできない組織とでは、チームの雰囲気はもちろん、成果や実現スピードなども大きく異なります。

僕たち自身が自発的に動く組織でありたい。誰かの言いなりで動く組織であることよりも、各自が自主的に動く組織であるほうが楽しくワイワイとした組織になりますし、各自の自主性を活用して働いてもらったほうが良い成果やプロダクトの開発につながることをこれまでの活動で学んでいます。多くの人が自分のやることは自分で決めていきたいと思っていますし、そのほうがモチベーションが高まります。

そのため、Backlogでは、上長がタスクを部下であるメンバーに投げたり託したりするフローになっていません。指示などを行うマネージャーなど一部の人が管理のために使うのではなく、メンバー全員が参加する参加型プロジェクト管理ツールとして設計されています。チームでやらなければならないタスクをチームメンバーが、どんどん登録していき、その登録されたタスクに対して「自分がやる」「自分ができる」「自分でやりたい」「自分がやらなきゃ」と感じたメンバーが「私が担当」というリンクをクリックして、担当者を自分にする仕様になっています。つまりチームメンバー各自の自発的なコミットメントを大事にしている仕様です。

もしかすると多くの業務ツールでも同様の仕様となっているかもしれませんが、僕たちも開発当初、ローンチ当初からこのような思想を変わらず大切にしています。

そのような思考を持っているので、プロジェクトメンバー各位が自主性を持ってBacklogをご利用していただければ、僕らはとても嬉しく感じます。

ノートパソコンでASPサービスを提供

Backlogは、見た目の楽しさや、メンバーとのコミュニケーションのしやすさ、メンバー全員が参加する参加型プロジェクト管理ツールというアイデアから生まれた特徴や機能以外にも、他社とは違う大きな仕組みが盛り込まれていました。

それは、どこにいてもパソコンとインターネット環境さえあればソフトウェアを利用できるＡＳＰ（Application Service Provider）という形式をとったことです。

Backlogがベータ版でリリースされた２００５年当時、主流だったソフトウェアをダウンロードして社内のサーバーにシステムを構築するインストール形式でのサービス提供はしませんでした。今は、そのようなインターネット環境さえあればソフトウェアを利用できるサービスは「クラウドサービス」と呼ばれたり「ＳａａＳ」と呼ばれたりすることがあるようですが。

同提供方式を採用したのは、まさに自分たちの業務で使っていた業務改善ツールの大半がインストール型で、それを不便に感じていたからに他なりません。

その頃の僕らの仕事は受託請負が主で、それも発注していただけるのは東京の企業ばかりでした。そうなると福岡にいる僕らと東京にいるお客さまのコミュニケーションをスムーズにするために、コラボレーションツールが必要になります。そのためには、サーバーを調達して、データベースなどのミドルウェアをいくつかインストールして、最後に必要なコラボレーションツールをインストールして、と非常に時間と手間がかかりました。また、インターネットでアクセス可能にする必要があり、そのためにはセキュリティ関係の設定もしなければなりません。プロジェクトの立ち上がりに非常に時間がかかり、それだけで大仕事です。この大変さは、当時、僕ら以外も感じていることでした。

そこで、ASPでのサービス提供方式を採用。ノートパソコンとネットワークさえあれば、どこでもプロジェクトの管理や確認はもちろん、メンバーとのコミュニケーションが取れるようにしました。「あらゆる場所からバグの在庫管理を」や「どこでもプロジェクト管理」などのキャッチフレーズをつかって、とにかく場所は気にしなくていいことをメッセージとして伝えようとしていました。

僕らも自らBacklogを利用して仕事をするようになったので、進捗ミーティングのために東京に出張する回数もかなり減りました。それでいて、お客さまとのコミュニケーションはしっかりと取れている。業務状況もヌーラバー全員が把握できている。まさに自分たち自身が望んでいた仕事の進め方を、自分たちで開発したプロダクトを使うことで体験していったのです。

自分たちで言うのも恐縮ですが、あらためて当時を振り返ると「Backlogがあって、本当に助かる」みたいな言葉が、エンジニアたちの間でもあちらこちらから聞こえていました。

ただし、ASPというサービスの提供方式については、先の絵文字と同様、多くの批判を受けました。当時は「クラウド」という言葉も誕生していない時代で、企業の重要なデータは自社で用意したサーバーに置いておくことが常識でした。5名ほどの小さな会社は信用に値せず、そのような会社が設置したサーバーに大切な情報を預けることはとても不安だ、もはや非常識だという内容の批評です。

一応、僕らもサービスが止まってしまわないようにサービスの稼働環境を二重にして、片方のサーバーが動かなくなったらもう片方のサーバーが動くようにしていたり、運用面で工夫もしていました。ただ、サーバーが「使わなくなったノートパソコン2台」でしたが。

ノートパソコンはバッテリーで動いているので、停電でパソコンが止まってしまうということもなく便利だと思っていましたが、今振り返ると、自分たちとしてもあり得ない体制だったと思います。5名ほどの規模の会社に、容量がさほど大きくないことは明白なノートパソコンサーバーに重要なプロジェクトの情報や進行状況を預けられるわけがないからです。通信速度に問題があるといった声も届きました。

言い訳ではありませんが、当時は商用版ではなく無料版の段階でしたから、ツールを販売して儲けようといった商売の気持ちではなく、とにかく自分たちが良いと感じたものを、似たような環境にいるエンジニアに一人でも多く使ってもらいたい。そのような気持ちのほうが強かったのです。

インストール型よりはＡＳＰ型のサービスのほうが効率的であることは明らかでした。さらにエンジニアだけではなくＷｅｂデザイナーのような自分達でサーバーを構築しないような方々もBacklogを利用するようになり、インストール不要、約1分でプロジェクトが開始できるという素晴らしい体験が非常に重宝されました。商用版のリリース時には手づくりのノートパソコンサーバーから卒業して、専門の会社が提供しているホスティングサーバーに切り替えました。そして現在はさらに多くの方々に使っていただけているため安全なクラウドサービスプラットフォーム、ＡＷＳに移行しています。

会社は
「仲良しクラブ」
でいい

第4章

Chapter 4

「弱み」を見せあえば、「強み」を出しあえる

——「できない」からはじまる逆説のコラボレーション

THE WORLD OF

偏愛あふれる一匹狼の群れと聞くと、その人だけが持っている個性や特性といった特殊能力を活かしているように聞こえるかもしれません。もちろん、最終的には個性や特性によってコラボレーションしているのですが、それは結果でしかありません。できないことを補完するために、個性や特性を発揮しているのです。

本章では、強みを活かしあうのではなく、弱みを見せあうことで生まれる「逆説のコラボレーション」についてご説明します。強みを出そうとするのではなく、チームの役に立とうとすることで、その人の本当の強みが発揮されるのだと、僕は信じています。

「強み」ってなんだろう？

「あなたの強みはなんですか？」

よく聞かれるフレーズだと思います。とても困ってしまう質問で、たとえば僕なんかは運が良いこと以外、あまり人より秀でたものを持っていない感覚でいますし、運さえも、僕より良い人はたくさんいます。どうしても自分に何かしらの強みがあるとは強く言えません。

それは、上には上がいることを知っているからだと思います。日本の人口は約1億2500万人。世界に目を向ければ、約80億近い人たちが、この地球上に暮らしています。自分の身の回りや知り得る範囲での強みや特徴は、多くの人が持っているでしょう。しかし、果たしてその輪が広がった場合に、本当に強みや秀でているものなのかどうか。

世の中を知れば知れるほど、何かを極めていけばいくほど、それが自分の強みだとは、自信を持って答えられなくなるのではないでしょうか。そして、たいていの場合、自分よりもはるかにその分野で強い人がいます。

ダニング＝クルーガー効果というものがあります。能力の低い人は自分の能力を過大評価してしまうという仮説です。

この仮説が正しければ、自分の強みに対して自信に満ち溢れているときは、もしかしたらまだ能力の低い状態にいるのかもしれません。いくら自信に満ち溢れていても、その能力への理解度や成熟度が上がるにつれて自信を失います。その「絶望の谷」と呼ばれる自信喪失期間を経て、さらに学習して着実に能力をつけ、それが強みになっていくとき、やっと「少しわかってきた」「チョットデキル」という自己評価になっていきます。

「誰にでも強みがある」「努力すれば必ず報われる」というフレーズもよく聞きます。でも、世間を知れば知るほど、いかに努力しても認められない、報われないケースはありますし、同じく強みを探していても、いつまでも見つからないケースもあります。

ヌーラボには130名ほどの社員がいますが、「強みは何？」と聞いてもしっかりと答えられる人は少ないかもしれません。僕自身も強みを持ちたいとは思っていますし、これまで努力もしてきましたが、未だに世界中の誰にも負けない強みは持ち得ていないと思っています。つまり、僕に強みはないという結論にしかたどりつけません。

僕が好む偏愛家も、傍から見れば強みを持っているタイプに見えますが、本人にはおそらく強みを持っているつもりはありません。単に、特定分野のことが好きなだけで、好きなことに関して誰かと競うような、スポーツでたとえれば、いわゆるオリンピックのような競技にも参加しませんし、参加しようとも思っていないのです。

「強み」はなくても「弱み」は誰もが持っている

一方で「弱み」に関しては逆で、誰もが自分の弱い部分に気づいているのではないでしょうか。そして、なかなか克服することが難しい。僕であれば、幼い頃からじっとしているのが苦手で、特に緊張が高まると、50歳近くになった今でも、モジモジしてしまう。直立不動も苦手。克服としようと考えた時期もありましたが、今ではすっかりあきらめています。

ただ、自分で弱みを克服することは難しいですが、まわりに開示することで、自分の弱い部分を仲間が補ってくれたりします。弱みは、まわりの人からの共感、支持を仰ぎやすいと感じています。

逆に、強みを開示しても「あー、そうなんだ」とか「もっと優れている人を知っている」などと受け流されがちです。強いんだったら自分一人でできると思われやすいのでしょう、他者からのヘルプやフォローアップは受けづらくなるのです。

強みは、仮に本当の意味で強みではないとしても、本人が強みだといっている限り、周囲はサポートしようとは思いません。その人のほうが優れているのだったら、自分は力になれないと考えてしまうのです。

一方で弱みを開示された場合は、自分でもフォローできるし、してあげられそうだというマインドが生まれやすいのではないでしょうか。

そして弱みは、一人に一つではなくいくつもあり、さらに組織単位だと大量の弱みがあちらこちらにあります。たとえるならば、ジグソーパズルで埋まっていないピースのように。

組織やチームは、このようなジグソーパズルの空いたピース、弱みをチーム全員で協力して埋めあう進め方、コラボレーションのほうが推進力はあるのではないかと感じています。弱みをお互いに見せあうことで、互いに貢献できる場所が見つかりやすくなり、働きやすくなるのではないかと思います。

障がい者施設で見た「弱みの相互補完」

鹿児島県に、130人以上の利用者と100人近くの職員の方々が働いている「しょうぶ学園」という知的障がい者支援センターがあります。健常者である職員と障がいを持つ利用者が一緒になって、共同作業でアート作品を制作したり、パンやそばづくりを行ったりしています。

このセンターでは、訪れる人たちに作業の様子を公開しています。出来上がった作品やパンが置かれているカフェ、お蕎麦屋さんなども併設していて、年間1万人以上が訪れるそうです。

ある日しょうぶ学園さんを訪れたときのことです。学園で見た風景が、まさに僕が説明したことと合致していました。

障がい者の方たちは、健常者と比べると弱みのように見える特徴が、それぞれありました。でも逆に、健常者ならすぐに飽きて辛くなってしまうような、コツコツと同じ作業を繰り返すことができるといった「強み」を持った方などがいました。

本人たちはその強みを強みであると認識している印象はありませんでしたが、見方を変えると、コツコツと同じことを繰り返すことができないのは、健常者にとっての弱みのようにも思えました。そしてそのような健常者の弱みと思える部分を、障がい者の方が補ってくれているように感じました。

もちろん、逆のケースもありました。障がい者の弱みの部分、それこそ健常者の人にとっては強みでも何でもない能力を、障がい者のために使うと、それが強みのように見えることもある。

しょうぶ学園さんでのコラボレーションを見ていたら、強みを高めるようなことを強制するわけでもなく、それぞれできることを掛け合わせていっているように感じます。弱みを補完し合うことで、結果としてチームや組織として、アート作品などの価値あるアウトプットを生み出しています。「弱みの相互補完」こそ、ものづくりにおいては必要なのだと感心しました。

しょうぶ学園さんの場合は、健常者、障がい者という構図ですから、特に弱みの補完関係によるコラボレーションが分かりやすかったですが、同じような仲間との関係性や補完関係の構造は一般社会でも往々にしてあり得ることだと思っています。

しょうぶ学園さんの障がい者の方が持っている障がいも、正確には障がいではなく、その人の個性であり、誰でもある弱みの一つでしかありません。そして仲間の弱みを補完し合うことは心地よくもありますし、価値あるアウトプットを生んでいく。

実際、ヌーラバーにどのような仕事にやりがいを感じるか聞いてみると、他者のために働くことに喜びを感じる者が大半でした。このようなマインドはヌーラボに限ったことではなく、世の中で暮らす、働いている人の多くが持っているものではないでしょうか。

そしてこのような気持ちが醸成してちゃんとアクションして機能したときに、会社に対するエンゲージメントや「働きがい」を感じるのではないかと思います。

弱みを見せあうことは、結果として誰かの活躍の場をつくることや、働きがいにもつながっていきます。何より、強みを見つけたり伸ばしたりするよりは、弱みを見つけるほうが簡単にできそうです。

そのような簡単な行動をするだけで、メンバー全員が働きがいを感じることができる。とても、お得なスパイラルではないかと思っています。

「強みの相互補完」には課題がある

特に僕たちのようなスタートアップの場合は、個々がスペシャリストであり、強みを持つ仲間同士がチームを組むことで、企業の成長スピードが加速する、と捉えられています。そのような経営スタイルでビジネスを進めている経営者やスタートアップも少なくないでしょう。いわゆる「強みの相互補完」です。

ただやはり、強みの補完でドライヴするチームワークには、いくつかの課題を感じずにはいられません。

繰り返しになりますが、強みはそもそも、そう簡単に持てるものではありませんし、一時期の自信に満ち溢れた時期を過ぎると、自分が思っていた強みは、実は強みではなかったということに気づかされます。強みと捉えていたことが、実はただの「やりたいこと」だったということもあるでしょう。

「やりたいこと」と「強み」のミスマッチが不幸を生むケースが多くあります。他者からは「特に強みではない」と思われているのに、本人は変なプライドで「やりたいこと」を意固地に「強み」と思い続けていたり。そして意固地な態度は指摘しにくいので、周りを困らせてしまったり。

まだ僕が未熟だった頃、誰かの強みが自分のやりたいことだったとき、ついその強みを持つ人を嫉妬したりしていました。今でももしかしたら、その未熟さは残っているかもしれません。「嫉妬」というやつは、こじらせるとチームワークを壊す諸悪の根源のようなものになっていきます。一度発生すると解消するのは難しく、チームにも、本人にもいいことがありません。

強みを認め、チームのために活用していくことができれば、素晴らしいのでしょうが、なかなかそんな気持ちになれません。自分の強みを伸ばすことに夢中になって、自分より強い人がいたら、チームのゴールを目指さなければならないはずなのに、その人に勝つことばかりを考えてしまう。

他者の「強み」を認めて、自分のやりたいことを譲ることは、精神的なタフネスをすごく求められるので、かなりキツイですよね。

強みでドライヴするチームワークがうまくできれば、それに越したことはないのでしょうけど、強みというものが持ちにくいものである以上、まずは弱みを開示しあって弱みでドライヴするチームワークを進めたほうが嫉妬の泥沼やマウント合戦などのストレスから解放されるのではないかと思ってしまいます。

仲間を信じて弱みやつらいことは隠さない

以前、ヌーラボの行動規範の一つに「ひとりより、みんなで」との項目がありました。現在はその要素を含みつつアップデートされていますが、まさに、弱みを仲間に開示したり、実際に見せたりすることで、まわりからの助けを得られることを表現しています。その結果として、チーム全体として高いパフォーマンスが生まれ、良いアウトプットが生まれていきます。

一方で、弱みを人に見せるのは難しい、できない、という声もよく聞きます。どうすれば、弱みを打ち明けられることができるのか。それは、仲間を信じることに尽きます。弱みを見せることでより良い状況が生まれたり、さらに楽しいことにつながったりすると信じることができれば、弱みを見せることができると思います。

チームに心理的安全性がある状態ともいえますし、まさに一匹狼が集団になる際には、仲間を信じるマインドが重要な要素だと思っています。心理的安全性をつくるのは、あなた以外の誰かではありません。あなたも含むみんななのです。すでに長く仕事を共にしている仲間であれば、当然、お互いの弱みにはうすうす気づいているでしょう。大切なのは、それを吐露できるかどうかです。

僕自身を例にあげてみましょう。僕は先にもお話ししたとおり、じっとしていられない弱みも含め、とても多くの弱みを持っています。同じことをしていられない、ケアレスミスが多い、物忘れが激しい、などなど。

物忘れが激しすぎるために、学校の教科書をどこに置いたのかまったく思い出せず、高校生の頃は何度も教科書をなくしていました。教科書がない状態で授業を受けたことも、何度あることやら。

人に対して優しすぎる性格も、ある意味弱みだと思っています。特に経営者になってからは、本当であれば強く叱咤したほうがいい場面でも、注意はするけれども、強く指摘するようなことがどうしてもできない。

変わったところでは、極度の先端恐怖症であることも弱みと思っています。裁縫で使う針や病院での注射はもちろん、お店で商品を陳列している金物のフックを見ただけでも、恐怖を感じるレベルです。

さすがに先端恐怖症であることを打ち明けても仕事に役立ちませんが、僕はこれらの弱みのほとんどを仲間に打ち明けています。するとまさに僕の足りないピースを他の仲間が補ってくれます。

例えば、ヌーラボの中には相手にはっきりと物事が言えたり、行動力があったりするヌーラバーもいるので、そのような仲間にも、自分の足りない部分を補ってもらっています。

もちろん、そのように多くのことを仲間に補ってもらっているように、僕も他のヌーラバーが同じように弱みを見せてくれたときには、自分のできる範囲ではありますが、精一杯、他者の空いたピースを埋めるための貢献をします。

開示するのは、弱みだけではありません。つらい、しんどいといった気持ちも、できる限り周囲に言うようにしています。そしてそのようにオープンにできるのは、吐露すれば仲間がサポートしてくれると、信じているからです。

たとえば仕事で、いくら頑張っても突破できない壁があったとします。まずは、自分なりに努力はしてみますが、何度トライしてもどうしても超えられない。その壁は自分にとって弱みであり、これ以上頑張っても超えられないと開示して、できる仲間に超えてもらいます。

ある時期、他の業務の兼ね合いもあり、プレゼン資料をつくる作業が、かなりの負担になっていました。やらなければいけないことは頭では分かっていましたが、おそらく身体的にかなり疲弊していたのでしょう。毎度毎度、プレゼン資料をつくってみんなの前で話をして、という繰り返しの作業に嫌気もさして、どうしても、手が動かない。

ただ、自分の中では以前からプレゼンの資料はよくつくっていて、自分でもそれなりの強みだと思っていたので、しばらくは頑張ってトライを続けました。でも、どうしてもできない。

そのときはたまたま家で作業をしていたのですが、最後のほうはあまりにもしんどくなり、近くで家事をしていた妻に涙を浮かべながら「もう、しんどい」と吐露してしまったほどでした。

これまで会社経営をしてきて、つらいことは度々ありました。むしろ、プレゼン資料の作成より断然大変なこともあったはず。だけど、ここまで追い込まれた気持ちになったことや、まわりに弱音を吐いたことはありませんでした。あらためていま振り返ると、一次的に精神的なストレス状態に陥っていたのかもしれません。

このエピソードを、あるとき広報担当に話しました。そうしたら、自分の中ではかなり重い出来事だと思っていたのですが「そんなにつらいんだったら、やらなければいいじゃないですか。わたし、代わりにやりますよ。プレゼン資料つくるの好きですし」と、あっさり。その結果、彼女につくってもらうことができました。

おそらく自分の中で、トップがつらそうな仕草を見せることを良しとしない意識がどこかにあったのかもしれません。弱みはバンバン見せていたのにもかかわらず、です。

上司や上長といったポジションに関係なく、誰もが自分の弱みや現在の状況を、仲間を信じてオープンに公開することはいいことかもしれません。言ってもしかたのないことを言って嘆く愚痴とはちょっと意味合いが違う、誰かの助けを求める一言が言えたほうが、お互いの信頼関係や共感はさらに高まりますし、結果として良きアウトプットが生まれていると思っています。

管理職もしんどかったらやめていい

課長職に就いているヌーラバーが、管理業務がしんどくなったので降りて、別のヌーラバーが代わりに課長職をする、ということがあります。課長職をやってみたけれども、自分には合わなかったので辞めたいと思う。そのような気持ちを仲間に公開するのです。

合う合わないだけではありません。健康状態がよくない、家のことで忙しくしているといった事情でも構いません。すべての気持ちを公開しなくてもいいので、とにかくタッチ交代の意思表示をします。

状況を判断し、自分であれば代わりができると感じたヌーラバーが手を挙げ、まわりの仲間も同意すれば、課長職が代わります。

このような人事異動が可能なのは、弱みを開示する文化が醸成していることももちろんですが、その時々にベストな人がリーダーを担うやり方が浸透している証でもあります。

課長職が偉いといった感覚もないので、辞める場合でも「降格」といった感覚もまったくなし。逆に、このまま無理を続けていたら、それこそ会社全体、チームに迷惑がかかる。だから、早めに打ち明けて辞めたほうがいい。そんな意識が浸透しています。

課長を辞めることが降格だと考えないための思考は、南カリフォルニア大学教授の教育学者である、ローレンス・J・ピーター氏により提唱された、組織構成員の労働に関する社会学の法則「ピーターの法則」が参考になります。

ピーターの法則によれば、組織で働く人は無能になるまで昇進する、と書かれています。つまり、平社員だったメンバーが係長を経て、課長になる。課長でもパフォーマンスを発揮したので、部長に昇進した。

さらには部長でも働きが良かったので、執行役員にまで昇進する、といった具合です。おそらく、一般的な会社の昇進の仕組みだと思います。ただこのような構造の場合、昇進がストップしたメンバーは、そのポジション、肩書きでのパフォーマンスが発揮されていないことになります。

つまり、このような昇進の構造が繰り返されていくと、あらゆるポジションのメンバーが、パフォーマンスを発揮できないポジションで仕事をしていることになる。このようなことが、ピーターの法則では紹介されています。

現場仕事がずっと好きで、結果も出していた。現場業務での活躍が認められ、管理職に昇進した。ところが管理職に昇進したら、まったくパフォーマンスを出せなくなってしまった。よく聞くエピソードだと思いますが、まさにピーターの法則に合致します。

このような組織構造でビジネスを進めていても、短期的なスパンでは、それほどダメージはないのかもしれません。でも本人には、パフォーマンスを発揮できないというストレスがたまっていきますし、前のポジションで成果を出していたのにもかかわらず、新しく就いたポジションでは、思うような成果が出せない。組織としての活動は次第に弱まっていき、結局、倒産してしまうと、ピーターの法則では説明しています。

ピーターの法則には大いに共感します。課長であれ、部長であれ、実際にやってみて、自分にはフィットしない、パフォーマンスを出せないと分かったら、組織全体のことを考えれば、降りるのが当たり前の対応だと思うからです。

もちろんこれは、僕自身にもいえます。現時点ではおそらくパフォーマンスを出しているとは思いますし、そう思いたいですが、何かの事情で代表取締役としてのパフォーマンスを発揮できなくなったら、そのときには自らすぐにポジションを別の者に譲るべきだと思います。

今後解決していきたい課題は、リーダーは特に問題ないのですが、管理職は管理職という一つの職種なので、エンジニアやマーケティング担当者などの一般職のヌーラバーに管理職を担当してもらう組織づくりをやめるということ。管理職は管理職として採用していけるといいなと思っています。

昇進という考え方をなくして、とにかく偏愛家、専門知識や技能の成熟度に対して評価して給与を支給するようにしていくように考えないと、ピーターの法則に足下を握られたままになってしまうと思います。

スーパーマンやヒーローは成功から生まれる

何でもできるスーパーマン的な仲間が現れたことで、あらゆる業務が滞りなく進むようになった。あるいは、一人の天才が天才的なアイデアを出し、天才的なマーケティング戦略で、あっという間に成長を遂げ、いとも簡単に上場を果たしてしまった。

このようなトピックやエピソードを聞くことがありますが、おおよそ後付けのつくられたストーリーなのではないかと勘繰ってしまいます。

そのようなつくられた物語をそのまま信じてしまうと、前に進むことが困難で大変な状況になったときに「一人の優秀な人を採用すれば会社やチームが変わる」

という思考になってしまいかねません。そして、いるはずもない、その優秀な人をずっと心待ちにしたまま時間は過ぎていき、大変な状況は変わらないまま。

そのようにスーパーマンやヒーロー、もしくは優秀な人があっという間に状況を変えてくれるという妄想をしてしまう原因の一つは、メディアの影響も大きいと思います。たとえば、スティーブ・ジョブスを一人の天才として扱うような記事。

アップルといえば、スティーブ・ジョブズさんというスーパーマンがいたから、iMacやiPod、iPhoneといった、これまで誰も想像しえなかったようなプロダクトを開発し、大きく成長して、今や世界一の時価総額を誇る企業に成長した。

多くの読み物でこのように紹介されているために、読者もそのまま信じているてしまっているのではないかと思います。ある人は「なぜ、日本にスティーブ・ジョブズが生まれないのか」のようなことを言いだします。

しかし個人の力よりもチームの力を信じる僕からすると、内実は異なっていているんじゃないかと怪しんだりしちゃいます。スティーブ・ジョブズさんというスーパーマンがいたほうが、物語、記事的に特徴的だし、読者にも伝わりやすい。

多くの人が今の空気をあっという間に変えてくれるヒーローを待っているから、そういう読み物にしたほうが読んでもらえる機会が多い、だからメディアは意図的にそのような物語にしているのではないか、って。

もちろん、スティーブ・ジョブズさんが素晴らしい人物であることは間違いないとは思いますし、ある切り取り方をすると正しい内容かもしれません。それでも実際のiPhoneなどが開発されていくプロジェクトでは、スティーブ・ジョブズさんも含めたチームのメンバー、一人ひとりの活躍があったからこそ、数々の画期的なプロダクトが世に送り出されたというのが現実だったんじゃないかと思ってしまうのです。

ジョブズさんと並べて書くのはおこがましいですが、僕も取材に応じたときに「あ、今、僕が物語の主人公にされて、まるでスーパーマンとかヒーローのようなストーリーが組まれそうになっているな」と思うことがあります。

おそらく、多くの人が想像するヒーローは、先天的に決まっているものです。あるプロジェクトが組まれたり、チームが結成されたときにすでにそこに、カリスマ性を持ったヒーローがいて、プロジェクトを成功させたり、チームをいい方向に導いたりすると思っているんじゃないでしょうか。

でも、実はヒーローは後天的に決まるものだと思っています。さまざまなコラボレーションの結果、あるプロジェクトが成功したり、チームがいい方向に向かったりした後に、振り返って誰か輝いた個人をピックアップして生まれるのがヒーローなのかな、と思います。


ヌーラボがここまでの規模に成長できたのは、誰か一個人がスーパーマンであるということはまったくなく、ヌーラバーはもちろん、ＪＢＵＧやＣａｃｕｕ（Cacoo のユーザーコミュニティ、Cacoo user unit の略）のメンバー、パートナー、その他諸々の多くの人たちのコラボレーションにより、今があると感謝しています。

そしてたまたま僕という人物が、会社を起こした創業者であり、その後、これもたまたま代表取締役というポジションで、仕事に向き合ってきた。だから今回の出版に関しても、僕がたまたま著者となっているだけなのだと思います。

僕は、何か新しいプロダクトを生み出したり、危機的な状況を打破するのは、一人の飛び抜けた才能だけでは難しく、大勢の仲間とのコラボレーションにより成されることだと信じています。

「1＋1＋1＝予想外の1」という発想に近いです。そして、あたかも世間でスーパーマンのように取り上げられたり、紹介されている人は、たまたまそのチームの中心もしくは、フォーカスされた時期に目立っていただけに過ぎないのだと思います。

僕もたまたまです。自分のことを運がいいとは思いますが、優れているとはまったく思っていません。おそらくどこからかヘッドハンティングを受けて、他のスタートアップの経営を任されても、まったく成果を出せずに潰してしまうと思います。

リーダー権が移動するフォロー・ザ・フォロワー

即興演劇から学んだことは本当に多いと、あらためて、今回書籍を書く機会をいただいて、感じています。会社を経営している感覚はいい意味で日々、楽しい仲間たちと人生という舞台の上で即興演劇を演じている感覚です。

僕が代表取締役をしているのは、あくまで会社法上の都合だけであって、内実は高校生の頃や東京で演劇をやっていた頃と変わらず、面白い仲間とワイワイ楽しく即興演劇をやっている感覚です。

決して自分達だけが楽しいわけじゃなく、観客を楽しませることを考えることが楽しい。今はそれが、ビジネス、Backlogなどのプロダクトに置き換わっているだけだと感じています。

即興演劇のように、誰か特定の個人が主導権を握っているわけではないからこそ、新たなコラボレーションが生まれますし、自分が自分がといった強みを主張する人もいない。チーム内をリードするリーダーシップは絶えずグルグルとチーム内でまわっているような感覚です。

創業者は僕だけど、その後に入ってきた仲間が僕の意見に必ずついてくるという感覚はまったくありません。すでに育まれているヌーラボの独自の価値観やユーザーさんたちの意見などに沿って、物事が判断されて決められていきます。慣れない人は不安がるかもしれないけど、誰がそのシーンをリードしているのかわからないこともよくあります。

もちろん、経営管理上、最終的には然るべき経路を通って承認されるに至りますが、大事なのは、誰かがリーダーになることでもなく、リーダーに従うことでもありません。これまで培ってきた価値観やユーザーさんの意見などをベースにして生まれる調和（アンサンブル）に従うことです。

そのために、それぞれの偏愛ぶりをいかんなく発揮できるように状況に応じてリーダーシップを渡して、ときにリーダーとして、ときにはフォロワーとして、一匹狼の群れの中で自分の立場を認識しながら、階層を固定することなく必要に応じて変化させていきます。

現在、ヌーラボには毎月1名から2名くらいのスピード感で仲間が加わっています。たくさんの新しい仲間たちがいますが、それでもヌーラボの価値観はブレないくらいにしっかりしたものになってきているように思えます。

採用のフローがしっかりしているのか、入社したばかりのヌーラバーもしっかりとヌーラボの価値観に共感している人が多く、おそらく入社後すぐに僕と対等に価値観について、そしてユーザーさんの要望等について話ができる状態になっています。

フォロー・ザ・フォロワーで、ヌーラボの創業時からいる僕や、古参のヌーラバーは、後から入ってきた彼らについていくような動きができたらいいなと思います。

interview
1

飛行機は一人では飛ばせない

株式会社スターフライヤー
経営企画本部 経営戦略部
岸上雄一郎 氏

飛行機を安全・安心に飛ばすためには、一人や二人が頑張っただけでは難しく、大勢のメンバーやパートナーとの協力やコラボレーションが必要不可欠です。一方で、パートナーはもちろん、当社でもコールセンター部門などは本社から離れた場所にあるため、オンラインで効果的なコミュニケーション、コラボレーションを行えるツールを導入する必要がありました。

この手の業務ツールは堅苦しい、使いづらいとの印象を持っていましたが、Backlogはまったく違いました。おそらく、インターフェースの色味やテキストのフォントに配慮しているからなのでしょう。〝優しい〟という印象を、ぱっと見で持ちました。

優しさは、実際に使ううえでも感じています。視覚的、直感的に操作できるようなUI/UXとなっているからです。そのため、コミュニケーションツールをふだん使い慣れていないメンバーでも、負荷やストレスなく簡便に使うことができています。

プロジェクトの参加者全員が、ひとつのページで情報を共有・閲覧できるのが大きな魅力だと感じています。立場や部署が異なっても、ページを見れば内容が分かるため、誰とでもコミュニケーションがとれるからです。

いわゆる縦割り・横割り、部署や役職、会社の文化の違い関係なく、軽々と飛び越えていくコミュニケーションツールだと感じています。

このような仕様のため、プロジェクトはスピード感をキープしながら進められると同時に、新たなメンバーのアサインも容易で、さらなるコラボレーションが生まれています。

▼余計なハレーションを生まなくなった

人ではなく案件、プロジェクト単位で管理ができるのも魅力だと感じています。当社では一人のメンバーが複数のプロジェクトやタスクを担当することが少なくないため、特定メンバーに負荷がかかり過ぎると、情報の共有や内容の詳細説明などで、ロスが発生することがあったからです。

人対人との会話や情報共有では、どうしても時間を必要とします。場合によっては、内容の齟齬が生まれます。しかし、Backlogを導入してからは「あの件どうなった?」といったプロジェクトの経緯を確認する業務や会話は、ほとんど発生しなくなりました。そのためプロジェクトが途中でストップすることが少なくなり、スピード感が増したと感じています。

また、マルチタスクなメンバーがオーバーワークになり過ぎている場合も、ダッシュボードにそのことが表示されるため、まわりのメンバーがサポートすることができ、プロジェクトの遅延対策にもなっています。

会話や確認といった、従来のリアルなコミュニケーションで行っていたひとつのステップを飛び越えることで、同コミュニケーションで生じていた無駄なハレーションを発生しなくなったと感じています。

整備、営業、空港、客室まわりなど。航空産業はそれぞれの領域の専門性が高く、文化も異なるとの背景があるため、どうしても旧態依然の縦割り、保守的な風潮がありました。そしてそのような風潮は、情報共有やコミュニケーションでも同様でした。

しかし当社は2020年に設立した、いわゆる航空ベンチャー企業。「まずはやってみよう!」とのマインドを大切にする文化がありました。Backlogを導入したことで、このポジティブな文化、マインドに拍車がかかっていると思っています。

interview 2

オープンコミュニケーションはオンラインでこそ実現できる

株式会社NTTドコモ
クロステック開発部 担当課長
森谷優貴 氏

以前はメールやExcelで情報共有やコミュニケーションを行っていました。そのため同作業が手間になっていましたし、セキュリティの観点から問題があると考えていました。またメールでコミュニケーションをとる際には、CCに誰を入れるのかを配慮したり、逆にプロジェクトとは関係のない人をCCに加えてしまったりといった、いわゆるコミュニケーションミスやコミュニケーションコストが発生していました。

そこで、開発の内製化がはじまった2013年頃から、いわゆるプロジェクト管理、タスク管理が行えるツールを導入しようと考えました。ヌーラボさんの製品を知ったのは、たまたま、パートナー企業が使っていたからです。

実際に他のプロジェクト管理製品と比べてみると、インターフェースが魅力的かつ、使いやすいと感じたので、導入を決めました。

当時は開発チームを中心に1000名ほどのメンバーが使っていましたが、インターフェースの使い勝手はもちろん、Slackなど外部ツールとのAPI連携も充実しているので、企画部門などビジネスサイドのメンバーや役員なども好んで使うようになりました。

現在では特に、部署横断案件や外部パートナーとのプロジェクトで使う機会が増えています。コロナ禍でオンラインでの業務が増えてからは利用が一気に拡大。約2万人のメンバーが使っています。

▼オープンコミュニケーション醸成のきっかけに

以前のメールでのやり取りでは、情報共有やコミュニケーションが一部の人たちの間だけで完結してしまい、クローズドになりがちでした。しかしBacklogを導入してからは、プロジェクトに携わるメンバー全員が情報を共有できるため、オープンなコミュニケーションがとれるように変わりました。

全メンバーが情報を共有しているため、妙な憶測を案じることもなくなりました。セキュリティの観点でも、全員が監視する立場でもあるとの意識が生まれ、以前と比べるとセキュアに、コミュニケーションが健全になったと感じています。

その結果、課題作成や相談といったコミュニケーションが、ライトに行えるようになりました。特に上司への相談や報告においては、かなり早いタイミングで行えるように変わりました。

メンション機能が大きく寄与していると感じています。上司は部下からの相談があったら、応えるのが当然との雰囲気に変わったからです。部下からしてみれば「確実に返答がある」との信頼感がありますから、コミュニケーションの回数が自然と増えていったのだと感じています。

オープンなコミュニケーションを会社の文化として定着させることは、なかなか難しいと思います。ですがBacklogなどのコミュニケーションツールを導入し、実際にコミュニケーションがうまく進む体験を重ねることで、ポジティブな流れや雰囲気が醸成されていると感じています。

このような成功体験もあり、現在では十数種類のSaaS業務ツールを利用する体制に会社全体が変わりました。

会 社 は
「仲良しクラブ」
で い い

第 5 章

Chapter 5

楽しめば、楽しくなる、うまくいく

―― だから、会社は「仲良しクラブ」でいい

「会社は仲良しクラブじゃないんだぞ！」

日本の会社マネジメントは、この言葉に代表されるような、真面目で、遊びがなく、形式ばったもののように理解されています。もちろん、仕事は遊びではありません。だからといって「遊びの要素」を排除すると、何の面白味もない作業になってしまいます。僕は、作業からいい仕事が生まれるとは、思えないのです。

だからこそ声を大にして言いたい。「会社は仲良しクラブでいいんだぞ！」と。

本書の締めになる本章では、僕が心の底からそう信じている理由についてお伝えしていきます。

楽しんで取り組めばなんでも面白くなる

掃除屋を起業したり、ボランティア活動にも熱心だった母親のことを、幼い頃から尊敬してきました。しかし、そんな母親の教えの中で、どうしても一つだけ腑に落ちない、納得できない言葉がありました。それは、「若いときの苦労は買ってでもせよ」ということわざ（？）でした。

今でもそうですが、僕は、苦労はできるだけしたくありません。ましてやお金を払ってでも苦労を手に入れるなんて、到底理解できない。苦労が目の前にあったら、真っ先に逃げたいと思っています。母親がそう言うたびに「苦労しないためにいま頑張っているのに」と思っていました。

一方で、特に仕事をするうえでしなければいけない苦労があることは、重々理解しています。苦労はもちろんあるけれども、それを苦労だと思って対峙したくはありません。苦労ではなく、楽しいことだと思って接して、乗り越えていくことが大事であり、そのようなマインドでこれまでも歩んできたつもりです。

目の前に苦労があったとしても、そこでムスッとして愚痴をこぼすのではなく、意図的に笑顔をつくり、楽しいことだと気分をアゲて取り組む。「人は楽しいから笑うのではなく、笑っているから楽しくなるのだ」という言葉がありますが、まさにその精神です。

ちなみに、福岡市長の高島宗一郎さんは、成人式で新成人にこの言葉を毎年投げかけているそうです。「幸せ」や「面白い」といった感覚も、全くもって自分の気持ち次第。つまり、楽しさは主観でつくれるのではないかと僕も考えています。

なぜ、楽しくないといけないのか。それは、人生を豊かにしたいと考えているからです。仕事に充てる時間は、1日のうち約8時間。1日の3分の1を占めます。睡眠時間を除けば、起きているうちの約半分です。

1日の半分の時間が楽しくなければ、当然、人生そのものが半分つまらなくなってしまいます。仕事の時間をいかに楽しく過ごせるかによって、人生が楽しく、豊かになると考えています。だからこそ、仕事は主観でも構わないので、意識して笑顔で楽しんで取り組むようにしたいものです。

例えば、僕が過去に八百屋を任せていただいたときのことです。おじいちゃんとはそりが合わなかったので、正直いって楽しくはありませんでした。でも、お客さんに野菜やカクテルジュースを販売する商売そのものに楽しさを見出すことはできました。接客やお客さんとの会話で、おそらくお客さんを楽しませることができたので、僕も楽しかった。

派遣プログラマーとして働いていたときも、非常に楽しくやらせてもらっていました。仕事を普通にしていたら楽しくなかったかもしれませんが、派遣先でつくっているシステムの技術選定や仕様などの提案をして採用されたときは、とても嬉しかったです。

そのときの1日の労働時間は8〜10時間ほど。その後、趣味のプログラミングやOSSコミュニティの活動も夢中になってやっていたので、就寝は朝方3時から4時頃でした。仕事が始まるのは9時なので、睡眠時間はおおよそ3〜4時間。まわりから見れば、いわゆるワーカホリックだったかもしれません。

でも自分の中では、プログラミングが徐々に上手になって、今までできなかったことができるようになり、知的欲求が満たされていく感覚が嬉しかった。

さらには、自分がスキルアップしたことで、オープンソースにコントリビュートできるようになりました。その結果、プログラミングやものづくりの楽しさを一緒に感じてくれる仲間との出会いがあり、また実際にソフトウェアを使ってくれるユーザーさんと交流しフィードバックを受けるのも楽しくて仕方ありませんでした。仕事の苦労もどこかに飛び、ますますプログラミングにのめり込んでいきました。

この頃から、仕事と人生の境がなくなって「仕事イコール人生」という感覚だったと思います。だからこそ、楽しく仕事をしたいし、仕事するなら楽しいと思える仲間と一緒にしたいと、強く思うようになりました。楽しい仲間と楽しく仕事をした結果が収入にもつながる。そのような働き方が最高に楽しいと感じていますし、実践してきたように思います。

仲間と一緒だから楽しい

仲間と一緒にワイワイと進めるからこそ、苦労が楽しく思えたり、楽しく取り組めたりする。つまり、「1＋1＋1＝想定外の1」です。目の前に大変やっかいな事案があったとします。例えば、来月までに1億円売り上げないと会社が潰れてしまうといったことです。

そこでまずは頭をひねって、「営業メンバーは10名いるから、一人1000万円をノルマにして、何とか苦労を分散して進めよう」といった発想をするのではないでしょうか。苦労を分散させて小さい苦労にしていくやり方です。

でも、営業メンバーの一人ひとりが1カ月で売上1000万円を達成しなければなりません。つらいと感じるメンバーもいるでしょう。やっぱり、苦労を分散させたところで、楽しくない仕事は楽しくない仕事のままです。

そんなとき、例えば、苦労を苦労のままにしておくのではなく、楽しいことに変換できないでしょうか。苦労を10人で割るのではなく、10人でまずは短期的に売上1億円を達成するアイデアを話し合って考えます。しかも明るく楽しく、苦労だと思わず、ある意味、ゲーム感覚でもいいです。楽しく、きっとどうにかできるだろうと思いながら、アイデアを出しあうのです。

そうすればきっと、10人のコラボレーションにより予想外のアイデアが創造され、1億円の売上は見事、1カ月以内に達成できるかもしれません。みんなが楽しんで出したアイデアが結果的に「営業メンバー10名で、一人1000万円のノルマを達成する」というアイデアだったとしても、おそらく、後者のやり方が断然楽しい。そして、実際にちゃんと達成できるのも後者かもしれません。

一見すると楽しくなさそうに見え、苦労だと思える場面だからこそ、逆に思い切って楽しむような精神が大切です。

仲間が多様であればより楽しい

自分と似たような価値観やバックボーンを持つ仲間よりも、自分とはまったく異なる価値観やスキルを持つ仲間たちといるほうが、何事も楽しく、それも自分だけでなく、お互いに充実して物事を進めることができます。自分の知らない知識や世界、経験を持っている人との交流から得られる体験や知識が新鮮で楽しいからです。

これは、プログラミングスキルがアップする感覚に近いですが、脳みそや身体全身が、知的欲求が満たされていく喜びを感じているのだと思います。

これまで多様な人たちとコミュニケーションしてきましたが、その度に、新しい発見があり、それを楽しんで喜んでいる自分がいました。

これは組織論の話に関係してきますが、自分と異なるタイプの人が多ければ多いほど、マネジメントは難しくなっていきます。それは、単純なトップダウンでは動かしづらい組織になるからです。

多様な組織であればあるほど、トップダウンで組織を動かしづらくなり、そうなると結果的に、各人のセルフマネジメント能力が求められるようになります。

人は誰かに命令されたことをやるよりも、自分自身で決めたことを実行していくほうが幸福度が高まるそうです。まさにセルフマネジメントの話ですが、多様性のある組織ほど自己決定が重要となり、それによって個人も組織も幸福度を感じる。そのような楽しい組織を、ヌーラボは目指しています。

エンターテインすることで自分が楽しくなる

自分が楽しく働くためには、まわりにいる仲間が楽しくしているということが、大事な要素だと思っています。そのため、エンターテイン（人や聴衆などを楽しませること）に非常に関心を持っています。まわりの人にいかに楽しんでもらうかを、これまでの人生を振り返ってもよく考えていたと思いますし、日々の仕事でも常に意識しています。

「楽しむ」といっても、ワイワイガヤガヤとする楽しさだけでなく、パズルを解くような気づきや学びを得るような楽しさなど、いろんな種類の楽しさがあります。

そして、一緒に仕事をしている仲間が楽しんでいる姿を見るから、自分もますます楽しくなる。演劇でも同じです。僕らの演技を見てお客さんが楽しそうにしている。その姿を見て、自分たちはますます楽しくなります。

エンターテインといえば、OSSの活動もそうだったかもしれません。自分がつくったソフトウェアを多くの人に使ってもらう。その結果、何らかの楽しみやベネフィットを得てもらう。その姿や経験を享受することが、とても心地よい。OSSの周辺にはそういったマインドの仲間が集まっていた気がします。

そのような活動には、ビジネスやお金といった感覚はありません。まわりの人が楽しんでもらうことが目的であり、参加している人たちの喜びだからです。いや、もしかしたらビジネスやお金という感覚もあったかもしれませんが、まわりの人が楽しんでもらうことが一番の目的だったと思います。

そしてそのような行動が結果として、いわゆるエコシステムとして多くの人たちを助けて、多くの人のベネフィットにもなっています。実際、僕もこれまでOSSからたくさんの知識を得ることができましたし、ソフトウェア開発においても大いに助けられてきました。

ヌーラボやBacklogが始まった頃も、世の中の人や仕事をする人をエンターテインする気持ちを持っていました。もともとは自分たちが使っていて楽しくなるように、使いたくなるようにと考えてつくったプロダクトです。Backlogを使うことの楽しみ、喜びを一人でも多くの人たちに知ってもらいたいと願っていました。

するとプロジェクト管理ツールを使っているエンジニアの方たちなどが試してくれて、徐々に利用者が増えていきました。僕らと同じように、仕事を楽しんで取り組むことのできるエンジニアが増えていくといいなという、社会貢献というと大げさですが、あくまでギブの対価として自分たちが得られる達成感や満足感こそが喜びであり、楽しみでした。

このような背景なので、Backlogは無料版からスタートしていますし、現在でも変わらず無料で使えるプランがあります。同様にCacooも機能制限がありますが、ある程度無料で使うことができます。特に海外では無料で使えるプランの利用率が高く、南米の学校の授業でCacooの無料版が使われているのをTwitterのタイムラインで知ったりします。

でもそこで、「学校で公に使っているのだから、お金を払ってくれ」といった気持ちはありません。遠くの海外でも僕らのつくったプロダクトを使ってくれているという、貢献に対する喜びや充実度のほうが大きいのです。

このような性分なので、他者に与えることと、エンターテインすることは、仕事だけに限りません。目の前に困っている人がいたら、自分の持っている知識やモノを共有したくなります。「この知識をあの人に教えたらきっと喜ぶだろうから共有しておきたいな」みたいな気持ちを常に持っています。

思い起こせば、テクノミュージックに夢中になった頃は、ブレイク前のインディーズのアーティストを探し出しては、興味がありそうな友だちに聴かせたりもしました。興味もないのにエイフェックス・ツインのノイジーな音楽を延々と聴かされた友達もたまったもんじゃなかったでしょうけど。

インデックスサーチ型の、テクノミュージックを探せるようなWebサイトをつくり無償で公開していたのも、まさにエンターテインの気持ちの現れです。

このようなエンターテインは、今でも続いています。ヌーラボのイベントで、外部の人たちも参加できるオープンなイベントもあるのですが、あるとき、プログラマー志望の中学生が来ていました。

プログラマーになりたくて勉強しているけれど、パソコンを持っていないというのです。使っていない、中古のパソコンを譲りました。

最近では「起業したい」「起業したけれど、なかなかビジネスが軌道に乗らない」そのような悩みを持つ経営者の相談にも乗っています。参考になっているかどうかは分かりませんが、まずは、自分のこれまでの経営者としての経験をシェアします。

資金調達に関しても、良い起業家のためならできるだけ応援します。場合によっては、実際に投資をしてくれそうな投資家との面談をセッティングしたりもします。

人を応援するといった活動は、それこそ数え切れないほど取り組んできているので、自分でも覚えていないほどです。

社員に関しても同様です。困っている仲間がいたらどうにかして助けたいと思っていますし、実際、できる限り手を差し伸べているつもりです。そして困ったことがあったら何でも相談してほしいといったことを、社内外問わず、常にアナウンスしています。

あらためて振り返ると、僕は、ただ好きなだけ、心地よいだけで人を応援する活動をしているわけではない気がします。知り合いやまわりの人が困っていたり、不幸になる姿を見たりするのが、すごく嫌なだけなんだと思います。

不幸でつまらなそうな顔や雰囲気の人がいると、自分が楽しくない。あまりに酷いと、こっちまで腹が立ってきます。だから、エンターテインしたり、サポートしたりしているような気がします。結局は自分が人生を楽しみたいだけなのかもしれません。

いいと思った情報やアイデアはオープンにする

辛子明太子は福岡の名物、福岡が誇る最高のお惣菜です。しかし、辛子明太子に使われている魚の卵は福岡産ではなく、アラスカやロシアや北海道など北の海で捕れるスケトウダラの卵を使っていることをご存じでしょうか。

また、辛子明太子独特の、旨味を醸し出している辛味。この辛味も福岡が発祥ではなく、唐辛子とニンニクがベースとなっているキムチやコチュジャンなどの韓国の伝統的な味です。

ただ、日本で初めて辛子明太子を製造販売したのが、福岡にある「ふくや」さんなのです。

そしてここからが、まさに僕が共感する取り組みですが、ふくやさんはおいしい明太子のつくり方を、自分たちだけのレシピとして封印するのではなく、まわりの人たちにオープンに教えていきました。10年かけて培った製法を、いともあっさりと教えて、さらには原料メーカーなども教えたそうです。

その結果、おいしい明太子をつくれるお店が福岡に増え、結果として「福岡イコール明太子」として、今に至っています。新規製品のつくり方を無料でオープンに広めて、その製品をつくる人が増えて、最終的にはその製品の市場ができあがっていくという、まさにOSSのような方法です。

オープンであることによって効果を生み出すのは、明太子やプログラムなどに限りません。僕は、あらゆる情報や知識はオープンに共有したほうがいいと考えていて、実際に行動しています。

例えば、ヌーラボにて2020年6月15日に策定した「カスタマーハラスメントへの対応に関する方針」の発表もその一つです。

カスタマーハラスメントとは言葉のとおり、お客様からの会社や社員に対する、嫌がらせです。対応しているカスタマーサポート担当者の人格を否定したり、精神的に攻撃したり、あるいは、提供していないサービスを過剰に求めたりするような迷惑行為のことを指します。

ヌーラボでは幸い、過度なカスタマーハラスメントを行うようなお客様はいませんでしたが、もしスタッフがハラスメントを受けるようなことがあれば、かなりの精神的ダメージを受けることは容易に想像がつきます。

さらに昨今、カスタマーサポートを行うヌーラバーはフルリモートワークですから、基本的に自宅で一人で仕事をしています。そうした誰も救ってくれる人がいない環境でハラスメントを受けるようなことは、絶対にあってはなりません。

カスタマーハラスメントは「起こさない」「生まない」ことが重要であり、実現に向け「実際に起きたケースの社内ナレッジ化に向けた共有」「データ・保存の強化」「社員研修の強化」といった各種施策を行っています。

一方で、「お客様は神様」という言葉があるように、ひと昔前は、お客様はサービス提供者よりも上の立場にあるという風潮がありました。また、お客様への対応によってはその後の取引や会社のブランド毀損に影響してしまうリスクがあるのではないかという不安から、他のハラスメントへの対応よりも表に出しづらく、また対処が難しい性質を持っているのです。

とはいえ他のハラスメントと同様に社会問題の一つであり、このまま放置しておくと世の中の仕事は確実に楽しくなくなります。さらに、過度な要求をしてくる人に無償でホスピタリティやサービスを提供してしまう商習慣がこのまま残ってしまうと、日本の生産性は落ちていく一方です。

そのようなことを危惧し、自社で作成し実施しているカスタマーハラスメントに対する方針についてオープンにすることで、真似してくれる会社も出てくるし、その声が増えると社会も変わっていくのではないかと考え、基本方針の文書を社内だけで共有するのをやめて、世の中に公開させていただきました。

実際に方針を公開すると、僕たちの思いや行動に賛同してくれる企業の方々、プレスリリースをシェアしてくれる企業。これまで特に交流のなかった企業からも、僕らのカスタマーハラスメントの方針をベースに、自社なりの方針にアレンジメントして、公開してくださるといったアクションが見られます。まさしく、オープンソース的な思考で広まっています。

ダイバーシティとインクルージョンのポリシーや採用ポリシーも、まさにカスタマーハラスメントへの対応方針をオープンにしたのと同じような背景でオープンに公開しています。

自分たちの考えや行動を多くの人や社会と共有することで、世の中の役に立ったり、困っている人の助けになる。結果的に、笑顔で幸せな人が増える。そのような発信は、これからも積極的にオープンに行っていきたいと考えています。

エンゲージメントが高まれば仕事が楽しくなる

情報をオープンにすることで他の会社の参考になり、社会がよくなったり、カスタマーハラスメントのような風潮がなくなったりすることは、僕らにとって嬉しいことです。一方で、このように積極的に情報をオープンにしているのは別の意図もあります。

従業員エンゲージメントへの寄与です。自分たちの取り組みを、社会にオープンにして享受されることで、社会がよくなっていったり、幸せな人が増えていくような様子を見ることで、従業員エンゲージメントはますます高まっていきます。もちろん、ヌーラバー自身も誰かのためになる行動をとって楽しんでもらいたい、とも思っています。たとえばヌーラボの社内報についても社員同士のコミュニケーションを醸成するのはもちろんですが、シンプルに読み物として楽しんでもらいたい。まさに、エンターテインの気持ちで、編集チームやコンテンツを提供するヌーラバーが貢献しています。

そして、記事を読んだ読者（同僚）が楽しそうにしている姿を見て、編集チームも喜びますし、来月はもっと喜んでもらえるような誌面にしようと考えます。このような日々のエンターテインに溢れた活動で、エンゲージメントはさらに日々高まっていきます。

General Meeting、すごろくトーク、Small Talkなども同じ意図で、コミュニケーションの醸成だけでなく、参加することでとにかく楽しんでもらいたいです。結果として、ヌーラバーのエンゲージメントが高まっていくだろうと思っています。

「楽しい」とは少し異なりますが、ヌーラボは既婚者が多いこともあり、育児休業を取得する仲間がかなりの割合でいます。2021年は同時に6名も育児休業を取得しました。具体的な数字としては、2021年4月以降に配偶者が出産した、または出産予定の男性従業員のうち、87・5%が育児休業を取得または取得予定です(2021年8月末時点)。中には1年以上、場合によってはパートナーの女性よりも長く取る場合もあります。

このような育児休業や、場合によっては介護休暇なども取得しやすい状況は、日々の暮らしの安心感を生み出します。また、その安心感を生み出せる環境で働けるような環境づくりという面においても、会社に対するエンゲージメントが高まっていくためにも工夫しがいのある分野だと思っています。

エンゲージメントを構成する3つの要素

従業員エンゲージメントは3つの要素から構成されています。まずは「ビジョンの理解」、そして「行動意欲の喚起」、最後に「共感（愛着、絆）」の3つです。そしてこれまで紹介してきたオープンに情報を共有する取り組みは、特に、ビジョンの理解と共感に効果があります。

今、このように説明すると、従業員エンゲージメントを高めるために、事前に3つの要素の定義をして各種施策を効率よく合理的に実施していったかのように思われるかもしれませんが、そのような流れではありません。

社員に対して日々、とにかく楽しんで働いてもらいたい、幸せを感じながら働いてもらいたい、という気持ちで取り組んでいた行動が、振り返ってみたら結果として、従業員エンゲージメントを高める3つの要素に合致していた、というのが正直なところです。

実際、僕はOSSコミュニティのMobstarやSeasarの活動をしている頃から、まわりの多くの人たちが楽しんでもらえるような、価値があると思う情報を日々発信し続けてきました。ヌーラボ社内に対しても同様で、一時期、Typetalkに朝のあいさつといった感じで毎日投稿していました。

僕は意味が分かりやすい直球のメッセージを嫌って、遠回りな文章を書くので、明確なビジョンやメッセージだと捉えられていなかったと思いますが、まさにこの書籍で紹介させていただいている、仲間、仕事、楽しさ、組織づくり、コミュニケーション、コラボレーションといったことに対する思いや考えを、ヌーラバーにも知ってもらいたいと思ったからです。

Typetalkでの朝のあいさつでは、いわゆるバリュー（行動指針）についてもときどき紹介していました。最近の新しめの企業はビジョンよりもバリューの方を強く紹介することが多いように感じます。

ちなみに、ヌーラボもビジョンよりもバリューに重きを置いています。ヌーラボのバリューは次のとおりです。

Love Differences
いつでも学び、実践しよう。
すごいを超えた価値を届けるために、
常識や現状ボーダーにとらわれず挑戦しよう。

Try First
まずは受け入れることから始めよう。
立場、技術、文化、嗜好、すべての違いは力に変えられる。
楽しい雰囲気の中でオープンマインドを持ってお互いを尊重しよう。

Goal Oriented
本質を見失わないよう、オープンな場でゴールを議論し、共有しよう。
そして、喜びや悲しみを分かち合いながら共に目的地にたどりつこう。

僕や、文化を推進・醸成する役割を担う部署横断チームが、具体的な事例などを紹介しながら、ヌーラバーのバリューを日々伝えることで、結果として会社の理解が深まっていき、ますます従業員エンゲージメントが高まるのだと思います。

逆に、バリューにフィットしない、もしくは、入社したときはフィットしていたし共感もしていたけれど、今はフィットしなくなってしまったヌーラバーは、自分自身も楽しく働けないだろうから、自然と会社を去っていくでしょう。

人事・広報と密にコミュニケーションをとる

最近は、僕自身がメッセージを発する機会が減りました。これまで僕がやってきた役割を、人事や広報に任せるように変わってきたからです。そのため、人事・広報とはかなり頻繁に、そして密に、連絡やコミュニケーションをとっています。

ヌーラボはソフトウェアを開発して販売する会社です。大切なのは「人」と「ソフトウェア」です。人がヌーラボに入社して、ソフトウェアをつくって世の中に公開します。

そのように考えると、まず採用人事がインプットの要になります。新しいヌーラバーを採用するにあたって、カルチャーフィットしているかどうかが大事になります。採用人事は技術力以外の部分も考慮して次の面談に進めるか否かを判断します。もし、ここの判断を間違えるとフィットしていない人がヌーラバーになることになり、お互いに不幸になります。また、いいソフトウェアもつくれません。

一方、広報はアウトプットの要になります。懸命につくったソフトウェアを、ヌーラボのビジョンやバリューに沿ってちゃんとストーリーを組み、世の中に広く積極的に報告していかなければなりません。ソフトウェアだけでもなく、ヌーラボのさまざまな活動も同様です。もし、この部分がうまくいかない場合、世の中におけるヌーラボの認知が意図しない方向になってしまい、社内と社外の認識がずれていってしまいます。

そのためビジョンへの理解やバリューの自分ごと化が重要になってくる人事と広報に関しては、最低でも週に一度の頻度でミーティングを行い、僕の思いや考え方、今、感じていることなどを伝えるようにしています。

そのミーティングの場では、僕が一方的に自分の意見を伝えるだけではありません。そこもコラボレーションです。人事や広報はこれまで十分に、ヌーラボのカルチャーを理解してくれているので、仮に僕の考え方がヌーラボらしくなければ、逆に疑問を投げかけてくれます。

そうしたやりとりを経て、あらためて、ヌーラボの考え方としてまとまっていきます。そういうことなので、今ではヌーラボのことをよく理解しているし、対外的にちゃんと説明できるのは、僕ではなくて人事や広報だと思っています。

エンゲージメントがあふれると新たなサービスが生まれる

仲の良い仲間とワイワイやっていることで、結果として世の中のみんなに便利に使っていただけるアウトプットが生まれます。Backlog、Cacoo、Typetalkなどはまさにそのようなコラボレーションから生まれてきました。

ヌーラバーはヌーラボが成し遂げたいビジョンを理解し、その方向性を理解して共感して愛着を持って行動をします。仲間と一緒に仕事をすることが楽しい。そして、行動意欲が高まれば高まるほど、一人ひとりのヌーラバーが自発的に働きだします。

エンゲージメントが高まれば高まるほど、ソフトウェアに追加すべき機能のアイデアを出せるようになりますし、実装に向けての自主性が生まれます。ソフトウェアの機能だけじゃなく、どのような姿勢でユーザーさんと接するといいのか、カスタマーサポートの目線でも新しいアイデアが浮かび、日々の行動に反映されていきます。

ものすごくいいアイデアが実現された瞬間、従業員エンゲージメントがリミッターを超えて溢れるほどになっているような、そんな感覚になります。そうした、一人ひとりのヌーラバーの現場での頑張りや楽しさを育むためのアイデアが、グルーヴとなって一つになり、結果として新たな機能はもちろん、まったく新しいプロダクトやサービス、サポート体制、コンテンツなどを生み出していくのだと思います。

居心地が良い会社だから フリーライダーが増えるとは思わない

ヌーラボでは従業員エンゲージメントを高めるために、日々の仕事やヌーラバー同士のコミュニケーションが楽しくなる施策を数多く打っています。そして、エンゲージメントが高く楽しい組織は、おそらく社員としても居心地が良いはずです。

一方で、居心地が良すぎる組織はよろしくないという声を聞くこともあります。例えば「ヌーラボさん、フリーライダーが多いんじゃないの？」と他の経営者などから心配していただくことがあります。満足に仕事をせず、その居心地の良さを味わうためだけに会社にいるフリーライダーのような社員が増えるというのです。

僕は居心地の良さは仕事を進める上で絶対に必要な要素なので、フリーライダー対策は別のこととして捉えるべきだと考えています。「組織の居心地が良いとフリーライダーが増える」とは思いません。

フリーライダーが生まれる原因は、あまり仕事をしなくても誰も何も言わない環境にあったり、余剰人員を抱えすぎて人員過多になってしまっている状態だったり、評価制度が個人の能力やスキルによらずに単に年功序列になっている場合などだと伺います。だとすれば、フリーライダーの発生は居心地の良さと必ずしも関係するものではないはずです。

まず、フリーライダーは仕事の見える化をしていないことで発生します。例えばBacklogを使っていると自然と仕事の見える化が進みます。誰が何をやっているのか分かる状態になるので、仕事をしなくても誰も何も言わない環境ではなくなります。「Typetalkなどで絶え間なくコミュニケーションも行われていますし、評価も能力を軸にした評価軸にしています。

さらに、僕や取締役一同、マネジメント職のヌーラバーが、エンゲージメント向上に貢献し、ヌーラバー一人ひとりにしっかりと自発的な行動意欲を持ってもらい、自己決定で仕事をドライヴしてもらうようなマネジメントの方法を採用しています。

完全とは言えませんがフリーライダーが発生しにくい状況になっていて、あとは、思いっきり仕事できるように居心地の良い環境があれば最高といったところではないでしょうか。

居心地の良い環境がフリーライダーを生むのではなく、フリーライダーがいないことも居心地の良い環境を構成する一つの要素だと思っていいかもしれません。

自己肯定感を持つ

寝る前は「今日もよく頑張った。だから明日も、そしてもう少しだけ頑張ろう」と自己肯定感と成長意欲を同時に持つことが、心の健康を保つために大事だと思っています。自己肯定感が低い状態だと自分を責めすぎて行動意欲を下げてしまったり、承認欲求が高まりすぎて自主的に行動できなくなる気がしています。あと、眠る前に自己否定していると睡眠の質が下がるような気がします。

僕は一時期、自己肯定感が低く、眠れない夜を何日も過ごしたことがあります。

「自分はもっとできるはずだ」と勘違いし、自分ができない理由を探して、最終的には自分がイマイチなのは誰かのせいだという結論に至ったりします。もしくは、自己否定を重ねて、辛い毎日を送ります。

自己否定を努力するためのモチベーションに使っていると、苦痛が長く続き、目標を実現する前に挫折して続きません。できれば向上心を努力のためのモチベーションにして、努力を楽しく継続し、目標が実現するまで継続したいものです。

ヌーラボでは独自の360度評価を行なっています。評価の期間になると、自分が評価したい人に匿名で評価を伝えることができる仕組みで、数値的な定量的な評価だけではなくテキストを使った定性的な評価がメインになっています。

もちろん、評価なので辛めの厳しいフィードバックもあったりするのですが、そのほとんどは感謝のメッセージだったりします。僕も360度から評価されて、どんな辛辣なフィードバックが返ってきているのだろうとドキドキしながら結果を見るのですが、とても嬉しい感謝のメッセージが多いです。

もし、自己肯定感が低く、自分で自分を肯定できなくても、周囲の仲間がこうやって肯定してくれると、とても健やかな気持ちになります。もちろん、辛口フィードバックもとても為になりますし、このチームと一緒に仕事できてよかったという気持ちに包まれます。

現時点での自分のパフォーマンスを理解して、自己肯定するからこそ、毎日が充実している気持ちになります。その積み重ねで少しずつ成長します。他者が肯定してくれたり、自分で自分を肯定したりすることで、自己否定の毎日を送ってダークサイドに堕ちることもなく、心健やかに仕事ができます。

ワークフローを改善すれば仕事が楽しくなる

楽しく仕事をするためには、日々のワークフローでのストレスを減らすことも重要です。そしてワークフローの改善は、これまで紹介してきた従業員エンゲージメントと合わせて、楽しく仕事をするための2つの両輪です。

「言った・言わない」「聞いた・聞いていない」などのコミュニケーションロスは日々の業務のストレスのうちの一つです。オフラインでのコミュニケーションであれば、避けては通れないことでしょう。

一方、Backlogなどのオンラインのプロジェクト管理ツールでコミュニケーションを取り合えば、口頭のやりとりではなく、テキストでのコミュニケーションが基本になるため、必ず記録に残り、コミュニケーションロスは少なくなります。オンラインでワークフローを回すようになるとコミュニケーションロスに時間を割かなくてよくなり、コミュニケーションロスによるストレスから解放されます。また、その分、本来向き合うべき仕事に集中できるようになります。

しかし、メールに関する業務はオンラインとはいえ、ストレスが溜まりがちです。まずは、誰にメールを送るべきなのか、誰がTOで、誰がCC、それともBCCで送ればいいのかなど、プロジェクトの進行とは直接関係ないことに意識や時間を使わなければなりません。

Typetalkのようなチャットツールであれば、参加者全員が会話に参加して、内容を共有しているので、これまでメール送信時に要していた配慮の時間もなくなります。

またメールの場合は、やりとりの途中からCCに加えられたり、外されたりで、情報が不揃いになってしまうことがあります。Typetalkを使うとそのようなことはなくなります。あの、メールでＣＣから外されたときの、「手違いで外れたの？」「意識的に外したの？」という、聞くに聞けない苦い思いからも解放されます。

実際、ユーザーさんの中には以前はメール検索だけで午前中の業務が終わってしまったという人もいたようですが、Typetalkなどのチャットツールを使って、そのような無駄やストレスなどがなくなったと報告をいただきます。

楽しくないやりとりはコンピューターにやってもらう

仕事の中で人と人がネガティブな交わりをするワークフローは、コンピューター（ツール）が介在したほうがいいです。

進捗状況の確認は、人と人とがネガティブな交わりをする代表例です。マネージャーとしてはメンバー全員の進捗を確認するのが仕事なので、当然、業務として確認しなければなりません。でも、スケジュールがタイトな案件の場合などは、進捗の遅れが懸念され、いい返事も期待できないので、正直、聞きたくない。「マネージャーは我々を信じていないのか」とか「今一生懸命やっているのが分からないのか」などと思われたくない。頻繁に聞けば相手も嫌な気持ちになることは明らかです。

さらに、遅れた原因を見つけて改善するために、遅れた理由を聞きたい気持ちがある一方で、遅れた理由の聞き方次第では、メンバーとの関係性がネガティブになることもあります。

進捗を聞かれるほうとしても、順調な状況を報告するのは嬉しいかもしれませんが、思ったように捗っていないことを報告するのは、とても気が重いはずです。「サボったと思われたくない」「能力がないと思われたくない」という気持ちをついつい持ってしまいます。タスクが遅れていることは当然、本人は分かっています。でも、そのことを伝えると、マネージャーはもちろん、まわりにも言いたくないし、言いづらい。

プロジェクト管理ツールを導入すれば、そのようなネガティブなコミュニケーションが減ります。

たとえばBacklogの場合は、進捗が遅れていたら自動でアラートとしてファイヤーマークが表示されます。それはマネージャーを含め、みんなが見ることができるので、遅れを担当者が報告する必要がありません。そうやって人と人とのネガティブな交わりが一つ減ります。

出欠などの各種連絡もそうです。特に、勤怠管理などの確認は「いちいち報告するのが面倒くさい」と思っている相手に聞くわけですから、聞くほうも聞かれるほうも、楽しくないです。

本来であればプロジェクトを円滑に進めるための互いの確認業務であるはずなのに、いつの間にか〝人〟対〝人〟の構造に置き換わってしまっている。このようなケースは、多いと思います。

Backlogはプロジェクトの進行状況を、プロジェクトに参加している人であれば誰でもダッシュボードを見ただけで確認できます。Backlog上で担当者をちゃんとアサインしておけば、個々の進捗管理はもちろん、「あのタスクは○○さんがやると思っていました」といったタスクの対応漏れも起きづらくなっています。

プロジェクトの進捗だけではありません。まさに今、仲間がどのような業務をしているのかBacklog上で知れる機能を活用することで、誰が何をしているのかを、各人に確認しなくても一発で知ることができます。

たとえば、エンジニアのAさんは、どこどこのソースコードを書き換えたとか、カスタマーサポートのBさんは、○○会社の対応に時間を割いているなど、オンラインのプロジェクト管理ツールを使うことで、仲間の動きや成果を把握できるようになります。

〝人〟対〝人〟ではなく〝人〟対〝課題〟の構造を構築する

楽しく仕事を進めるためには、〝人〟対〝人〟の構造でなく、〝人〟対〝課題〟の構造をつくるテクニックが必要になります。

例えばBacklogだと、やらなければならないことを次々と課題として登録していきます。すると、プロジェクトを進めていく上でやらなければならない課題はシステム上に溜まっていきます。その課題上で担当者と関係者によるやりとりが行われ、作業を進めていくことで課題を完了させていきます。

つまり、システム上に登録された課題を、どのようにすれば完了できるのか、各自の目線が課題を完了させるというゴールに向かうようになり「〝人〟対〝課題〟」の構図になっていきます。

業務の本来の目的は、目の前の課題を完了していくことです。にもかかわらず、人同士の議論が白熱していくと、マウントを取りたくなるような感情を抱くことが多くなります。いつの間にか本来の目的から逸れ、課題を解決したいのではなく、ディベートで勝ちたい気持ちのほうが優っていきます。

プロジェクト管理システムを使っていると、もし、〝人〟対〝人〟のマウントの取り合いになっても、課題が見える化されているので「そんな場合じゃない、この課題を終わらせなければ」と、課題に立ち戻ることができます。

見える化して、〝人〟対〝課題〟の構造をつくるのはBacklogだけではありません。作図ツールのCacooも同様に〝人〟対〝課題〟の構造をつくってくれます。

チャットやビデオミーティングなどでやりとりしていると、なかなか互いの頭の中に描いていることが理解できません。また、これも人同士の議論になり、解決したいことや目的を忘れて〝人〟対〝人〟の勝負に白熱しがちです。議論が複雑になると、さらに泥沼戦です。いったい、何について議論しているのかも忘れてきます。この場合、すっかり忘れてしまったほうがいいかもしれませんが、もっといい議論のやり方があるはずです。

一枚のホワイトボードやCacooのシートを用意して、互いに頭の中に描いていることを図や絵にしながら議論を見える化しましょう。そうすることによって、互いに向かっている各自の目線がホワイトボードのほうに移動していきます。視覚化されることで、テキストよりもイメージも掴みやすくなりますし、場合によっては長いテキストの文よりも、多くの情報量をパッとわかりやすく捉えることもできます。

建設的な議論をするためには、〝人〟対〝人〟の議論の空中戦を無くして、早めに〝人〟対〝課題〟の構造をつくるようにしましょう。

『星の王子さま』の著者として知られるアントワーヌ・ド・サン＝テグジュペリさんの名言で、『愛とはお互い見つめあうことではなく、共に同じ方向を見つめることである』というものがあります。僕はこの名言がとても好きです。夫婦や恋人同士の「愛」の文脈で引用されることが多いのですが、僕はこの名言を「仕事のやり方」や「コラボレーションの在り方」だと解釈しています。
コラボレーションとはお互い議論しあうことではなく、共に同じ方向を見つめて議論しあうことである。

まじめじゃなくてもいいけど、真剣でなければならない

「まじめにやるな、真剣にやれ」

Backlogユーザーでもあり、お友だちでもある株式会社テンタスの小泉智洋さんと沖縄県の宮古島でお酒を飲んでいたときに、彼が発した言葉です。僕はこの言葉をとても気に入っていて、自分が言ったことにしていいかと断りをもらったうえで、完全に自分のもののようにして使っています。まじめというのは、規則正しく、責任感を持ち、世の中のルールに従うようなイメージだと、僕は捉えてい

ます。

一方、真剣というのは、目の前の事象に対して、どこに課題があり、どうすれば解決できるのかを、頭をフル回転して考えて解決まで頑張り続けるようなイメージです。場合によっては、規則やルールなどといった常識さえ変えていくことも厭わないほどの強い意志を持っていたりします。

コンサルティングの依頼を受けて仕事していた頃、こちらから3名、クライアントも同じく3名で、ミーティングの席を持ちました。

受発注の間柄でもあるので、多少かしこまりながらのミーティングです。そんな場合、通常であれば、机を挟んで3対3で向き合ってミーティングを行います。でも、そのような配置にしてしまうと、両社の間に壁ができるように感じてしまいます。対立構造になりやすいですし、とても活発なミーティングができるような空気感ではないです。

そこで、僕は座る位置をシャッフルして互いに対になって座らないようにしました。どうしてもビジネスの場では、まじめにマナーを守る風潮がありますが、そうすると良いミーティングができません。かしこまった雰囲気を破って、課題に真剣に向き合ってこそ、いいミーティングになると思います。

ビジネスマナーをしっかりと身につけている方を否定するつもりはありませんが、特にものづくりやコミュニケーションにおいては、まじめさやビジネスマナーはひとまず横に置いておいて、真剣に取り組んだほうがいいと思うことが多々あります。

ヌーラボでは2020年3月25日に行われた創立17周年を記念したイベントの中で、社内コミュニケーション促進や、VRを用いた他拠点コミュニケーションの実証実験を目的にして、Facebookが開発したVRデバイス「Oculus Quest 2」を全社員に貸与することを発表しました。2021年11月現在時点では、Facebookが開発したVRミーティングアプリの「Horizon Workrooms」を使ってコミュニケーションしています。バーチャル空間でアバターになって一緒にランチタイムを過ごしたりしています。

主に雑談で実際に活用していますが、むしろバーチャルのほうがかしこまらずに、場合によってはアバターがユニークな顔で場を和ましてくれたりするので、こちらのほうがより良いコミュニケーションが取れるのでは、と感じています。

VRヘッドセットを全社員に貸与するなんて、現段階ではふざけているように思われるかもしれませんが、これも、オンラインコミュニケーションや、未来のコラボレーションやコラボレーションツールの在り方を真剣に考えた結果です。

2021年10月28日、Facebook社が社名を「メタ」に変えるというプレスリリースを打ちました。実際は「Meta Platforms」という社名で、同社はメタバースのプラットフォームになろうとしています。それが発表されてから、世間では「メタバース」という言葉が流行っています。

メタバース（metaverse）とは、「超（meta）」と「宇宙（universe）」を組み合わせた造語です。僕らはメタバースと呼ばれる、インターネットの中に構築された現実世界とは異なる3次元の仮想空間やそのサービスを使ってコミュニケーションしていくようになると言われています。そして、Facebook社はそのメタバースを次のコミュニケーションプラットフォームと位置付けているようです。

僕は数年前からVRに興味を持っていて、ミーティングアプリを使ってオランダにいる友人などとコミュニケーションをとっていました。「これは凄いことだぞ」と思って周囲に説明してみたのですが、人は自分が想像ができないことを頭で理解するのは難しいので、みんなに理解してもらうのに時間がかかってしまいました。

VRヘッドセットを持ち歩き、数名に体験してもらうようなことをやっていった結果、共感を持ってもらえたようで、「テクノロジーの会社だし、VR（メタバースの世界）を早めに試すことはやったほうがいい」「みんなに導入できないだろうか」という声が聞こえるようになりました。それから徐々に共感が広がり、だったらみんなに配ろうということで、全社員に貸与しようということになりました。

まじめに考えてしまっていたら、実行できていないことかもしれません。真剣に考えているからこそ、何かを超えて実行できるのです。

友情は大事 ——会社は「仲良しクラブ」でいい

「職場は仲良しクラブじゃない！」というセリフがありますが、僕は職場は仲良しクラブでいいのではないかと思っています。おそらく、仲良しクラブを批判している人は、親しい中だから互いに甘く波風を立てず、切磋琢磨をしないうえに、表面的に仲良くやっている様に対して活を入れたくて言っているのかもしれません。

心理学者のブルース・W・タックマンさんが1965年に発表した「チームの成長モデル」では、チームは4段階で発展するとまとめられているようです。現在はそれが5段階になっています。

第1段階は形成期（Forming）、チームが形成された頃です。互いの人となりが分かってなくて、緊張や遠慮などをしています。場合によっては不安を感じている人もいます。

第2段階は混乱期（Sorming）、各自の仕事の仕方や進め方が違うことに気づき出す頃です。状況によっては、意見の主張やぶつかり合いなどが起きたりします。好戦的な人はこの頃が好きな人もいそうです。もしかしたら、「職場は仲良しクラブじゃない！」と言っている人は、この混乱期が好きなのかもしれませんね。

第3段階は統一期（Norming）です。この頃を「仲良しクラブ」と呼んでしまうのかもしれませんが、チーム内の役割が暗黙的に定着して、仲間意識が芽生える頃です。互いの価値観や意見を受け入れやすくなっている状態で、場合によっては「ぬるま湯」のように感じる状況です。

第4段階は機能期（Performing）、チームが自律的に相互補完しあって活動します。チームとして成功体験を持つことができて、さらなる成果を産むことができる、もっとも高い成果を出しやすい時期です。

第5期は散会期（Adjourning）、目的達成や時間的制約などが理由でチームが解散する時期です。

仲良しクラブの時期は、とても大事な時期。ここで仲が良いからこそ、ダメな行動や間違ったことをしたときには、本気になって指摘できる関係性を築き、チームが自律的に機能するようになっていきます。

そのために必要なのは、分かりやすい言葉に置き換えれば「友情」だと思っています。友情があるからこそ、何を言っても互いにギクシャクした関係にならないと自信を持って、きちんと指摘できます。そして、成功や素晴らしいチャレンジをしたときは、心から祝福できます。このような関係性を築くためには、単に「仕事だからやっています」というマインドの向こう側に行く必要があるように思います。

僕のこれまでの仕事を振り返ると、自分がうまく仕事を進められないときに手助けしてくれる仲間が大勢いましたし、そのような仲間を友だちだと思っています。その仲間が困っているときは、友だちだからこそ手助けしてきました。

まさに、先述した弱みを補完し合う関係性も、友情があるからこそ、本当の意味での弱み補完ができるのではないかと感じています。そしてそのような友情を感じる組織の在り方をとても心地よいと思います。

今の人材市場では、転職理由のほとんどが人間関係と言われています。また、1981年以降に生まれて2000年以降に成人を迎えたミレニアル世代と呼ばれる層では、多くの人が仕事の満足度を判断するうえでもっとも重要な要素として、同僚との絆の強さをあげているそうです。

このように、職場の友情は、協力的で前向きな環境を促進するだけでなくて、従業員の感情的な幸福感を高める役割も果たしています。

また、従業員のエンゲージメントを高めるためのもっともシンプルな方法は、最初に従業員間のエンゲージメントを高めて、同僚へのエンゲージメントをブランドへのエンゲージメントに自動的に変換することです。

さすがに全従業員同士が友情関係で結ばれているのは難しいとは思いますが、所属しているチーム、あるいは近しい数名でもそのような心を許せる友だちがいるだけで、毎日がストレスなく、楽しくハッピーに過ごせると思います。

リファラルが多いけどインセンティブはつかない

友だちの輪に加わるときは、多くの場合はすでにその輪の中にいる友だちからの紹介がきっかけになると思います。ヌーラボの採用もそのような状況で、リファラル採用と呼ばれる「社員からの紹介」の割合が増えています。

他社ではリファラル採用でインセンティブを設けることがあるそうですが、ヌーラボではインセンティブは設けていません。リファラル採用にインセンティブを導入してしまうと、ヌーラボの本来の価値ではない部分でリファラルが活性化してしまう可能性があるからです。

基本的に、何でも金銭に置き換えてしまうことを好まないのですが、採用に関しては、まずは今いるヌーラバーが仕事を楽しいと感じて、ワクワクし、純粋に知り合いや友だちにヌーラボを紹介したいと思ってもらうことが大事だと思っています。その他の利己的な何かがあると、間違ったモチベーションで誘われたヌーラバーが増えていき、組織が弱くなっていくような気がしています。このあたりの感覚も、組織の成り立ちや推進スタイルにおいて、コミュニティ的な感覚がベースになっているからだと思います。

なので、最近は一部の採用サービスで広告費を使ってはいますが、少し前までは採用広告は打ったことがほとんどありませんでした。

採用もそうですが、ヌーラボのサービスの新規契約も約3分の2がリファラルです。創業当時から訪問して商品を売るような営業部隊もヌーラボには存在しません。

営業部隊がいないことで、本来であればかかる営業人員のコストを開発に充てることができています。その結果、提供コストを下げることができたり、プロダクトの開発スピードが増すなど、さまざまなトライができていると感じています。

OSSコミュニティと同じで、ヌーラボ製品を使ってくれたユーザーのみなさんが、SNSやブログ、口コミなどで紹介してくれて、自然発生的に利用が広まっています。

そのため、ヌーラボはいわゆるスタートアップが一気に業績を伸ばすようなフェーズを経験していません。ゆっくりと、でも着実に、右肩上がりでユーザー数が増えていっています。

これからも他社のことは気にしすぎることなく、ヌーラボらしく、即興演劇的なコラボレーションを楽しく繰り返していくことで、より多くの人が楽しく使ってもらえるようなプロダクトを、大好きな仲間と、和気あいあいと開発し続けていきたいと思います。

interview
3

リモートワークでいかにしてアイデアを生み出すか

株式会社デジタルキューブ
代表取締役社長
小賀浩通 氏

株式会社デジタルキューブ
Director of Client Services
恩田淳子 氏

当社は2006年の創業来15年間にわたり、100%リモートワークの会社です。そのため自社のメンバーだけでなく、各地に点在するお客様も含めた、インターネット上でのコミュニケーションやコラボレーションが必須でした。そのためヌーラボさんの製品は、創業当初から使っています。

Backlogを選んだのは、人間味を感じるような柔らかいインターフェースが心地よかったからです。UI/UXが洗練されているので、初めての人でも直感的にすぐに使えるのも魅力でした。

何より魅力的だったのは、単なるプロジェクト管理ツールではないことです。ユニークで豊富なアイコン。「いいね」の気持ちを表すスター機能など。ぱっと見は小さな配慮かもしれませんが、コミュニケーションを円滑に進めるうえで大切な要素が、散りばめられています。

実際、導入後はプロジェクトのメンバーであれば誰でも同じ情報に同じ粒度でアクセスできるので、コミュニケーションがスムーズかつシームレスに進んでいます。

▼居酒屋での雑談からアイデアが生まれている感覚

一方で、アイデアの源泉は、特に目的を持たずにコミュニケーションする、居酒屋での他愛のない雑談などから生まれると考えています。

Backlogの情報共有、課題管理におけるコミュニケーションは確かに効率的ですが、アイデアを発想するとの点では、フィットしないと考えています。

そこで、Typetalkです。Typetalkであれば、まさに居酒屋でメンバーと話しているような感覚で、コミュニケーションがとれるからです。キャッチボールの履歴が可視化されているライン機能は、特に気に入っています。

そのため当社では、アイデア出しや事前に社内で確認しておく必要のある事案については、まずはTypetalkで社員同士がコミュニケーションを。その上で、アイデアがまとまったら、お客様も交えたBacklogでのコミュニケーションに移る、とのフローをとっています。

またTypetalkからBacklogに移行する際にも、個々のメッセージを包括できる「まとめ」機能があるため、とてもスムーズです。

▼橋本さんのことは良いお友だちだと思っている

橋本さんとはいろいろと共通する点があり、刺激を与えあう間柄であり、良きお友達でもあると思っています。

たとえばお互い、キャリアの出発点はエンジニアではないこと。そのためエンジニアとして輝かしいキャリアを歩んできたわけではありません。

一方でOSSコミュニティへの参加、運営など。OSSコミュニティが今のように一般化する前から、まわりの人たちの困りごとを解決し、喜ばせたい。そこにお金は関係ない。ただ、自分もまわりも楽しくハッピーであればいい。

このようなマインドを持っている点も、似ているかな、と。そしてヌーラボの源泉は、まさにこのようなOSSコミュニティマインドだと思っています。

ビジネスが大きくなったからといって、東京に進出せず地元で頑張っている。それでいて、地方からグローバルを相手にビジネスしているあたりも、とても共感しています。

おわりに

Epilogue

プロダクトを進化させ、多様性を高めたい

まだまだ僕には、今後してみたい、実現したいアイデアや世界観があります。一つは、ヌーラボのツールも含め、コラボレーションツール自体のテクノロジー、プロダクトを進化させることです。

ヌーラボが２０２０年2月の中頃からオンラインによるリモートワークへワークスタイルを変更してそろそろ2年になります。世間的にも新型コロナウイルス感染拡大に伴う緊急事態宣言を受けて、通勤者を削減するためにリモートワークが導入され、浸透していきました。

とあるソフトウェア企業が調査した結果によると、以前のようにオフィス等に出勤して働いていたころと比べると生産性が落ちているとのことです。

あくまで僕の意見ですが、生産性が落ちているのはオンラインで働くことや

リモートワークが直接的な原因ではなく、リモートワークで生産性が上がるほどテクノロジーが進化していないせいだと感じています。ヌーラボの製品も含め、業務ツールはまだまだ伸びしろを持っているということだと思います。

僕たちが努力して業務ツールの使いやすさや利便性を上げていくことで、出勤を伴う働き方と同等かそれ以上のパフォーマンスを、オンラインでの働き方で出せるのではないかと思います。

例えば僕のように思考を言語化することが苦手な人に、言語化を補ってくれるようなテクノロジーもその一つになると思います。

数学者である新井紀子教授の著書『ＡＩ vs. 教科書が読めない子どもたち』で紹介されているのですが、文章を読むことも書くこともできるけれど、文章の本質を理解していない子どもが10人に1人はいると言われています。

この問題は子どもたちだけではなく、実は、自分も含めた大人でもたいして変わらないのかもしれません。実は、僕も本当は文章を理解していないかもしれないし、身の回りやヌーラバーの中にも一定数いて当然じゃないかと思います。そこを、テクノロジーでカバーするだけで仕事のやりやすさは格段に上がります。

ほかには、例えばメタバース。いまだに来客のために片道30分かけてオフィスに行くことがあります。簡単な気持ちで「よろしければご挨拶させていただければ」とアポイントをとっていると思うのですが、その30分くらいの「ご挨拶」のために片道30分、往復1時間の移動時間をかけてしまいます。僕も断ればいいのに、断れない。

この非効率な作業も、〝まずは挨拶だけ〟のミーティングを減らすべきだと思いますし、もし減らせないのであれば、移動時間をかけずメタバースでご挨拶という運びにしたいです。この辺、まだまだVR／ARのヘッドセットの普及も足りていないですし、テクノロジーもまだ発展途上です。

ビデオミーティングとは違う、ちゃんと会議室で会議をしているような体験ができて、魔法のように空中に画面や図が書けるテクノロジーがあるだけで、効率はグンとあがりますし、むしろ本当の会議室よりも機能性が高いです。

コンピュータでやりとりしたデータは、基本的に意図的に削除しない限り半永久的に残ります。対して、人間は時間が経つと情報（記憶）は次第に薄れていきます。もしかしたら、このような人間の忘却の機能も、コミュニケーションツール上にテクノロジーで再現したほうがいいかもしれません。

リモートワーク中にコンピューター上でやりとりされた内容は良くも悪くも残ってしまいます。通常のやりとりは残っていても問題ないのですが、思い出しただけで怒りが再燃するようなネガティブなやりとりも残ってしまいます。

現時点では、どのような技術で実現されるのか具体的なアイデアがあるわけではありません。でも、なんでも覚えてくれるから便利なコンピューターに、思い出したくないことは思い出さないように、記憶が薄れていくようなテクノロジーを追加したくなる日も来るだろうと思います。

このようなテクノロジーの進化を、僕らだけでなく、業界全体、テクノロジーに関する人たちみんなでできたら楽しいだろうなと思います。

みんなで遠くに、早く、行きたい——

僕はヌーラボで、もっと多様なチームで、もっと多様な働き方を推し進めていきたいです。多様性を許容して、カラフルな働き方、カラフルな人生を送れると、素晴らしくないですか。

どんな属性の人でも、ヌーラボであれば、それぞれが望む時間帯や場所、働き方で夢中に働くことができるような。そのような組織になれると素晴らしいですよね。

肌の色も宗教も、ましてや政治的な観点で日本と仲が悪いからといった溝など一切関係のない、「このチームで一緒に仕事できてよかった」を世界に生み出していきたいという共通した価値観を持って、仲間が世界中に点在しているイメージです。

そして日本発のプロダクトという感覚ではなく、世界に点在している多様な仲間がコラボレーションすることで開発されたプロダクトとして認知され、当然、使っている人たちも同じく多様で、グローバルに点在していて欲しいです。

今いる仲間や、これから加わるであろう仲間と共に、それが実現できれば幸せだなと。

そのためにも、テクノロジーの進化に貢献したいと思いますし、僕らが開発していているような業務ツールの進化も必要不可欠です。そして、何よりも僕ら仲間が仲良くしていることがとても大切なことなのです。

「速く行きたいなら1人で行け。遠くに行きたいならみんなで行け」

アフリカに伝わることわざです。僕はこの言葉が大好きなのですが、アメリカのアル・ゴア元副大統領がこのことわざに追加したフレーズは、もっと好きです。

「私たちも遠くへ行かなければなりません、それも速く」

この言葉を胸に、これからも大好きな仲間と、人生を楽しみ続けます。

会社は「仲良しクラブ」でいい

発行日 2021年 12月25日 第1刷

Author 橋本正徳

Book Designer 新井大輔　八木麻祐子（装幀新井）

Publication 株式会社ディスカヴァー・トゥエンティワン
〒102-0093　東京都千代田区平河町2-16-1
平河町森タワー11F
TEL　03-3237-8321（代表）03-3237-8345（営業）
FAX　03-3237-8323
https://d21.co.jp/

Publisher 谷口奈緒美

Editor 千葉正幸（企画協力：梅田悟司／編集協力：杉山忠義）

Store Sales Company
安永智洋　伊東佑真　榊原僚　佐藤昌幸　古矢薫
青木翔平　青木涼馬　井筒浩　小田木もも　越智佳南子
小山怜那　川本寛子　佐竹祐哉　佐藤淳基　佐々木玲奈
副島杏南　高橋雛乃　滝口景太郎　竹内大貴　辰巳佳衣
津野主揮　野村美空　羽地夕夏　廣内悠理　松ノ下直輝
宮田有利子　山中麻吏　井澤徳子　石橋佐知子　伊藤香
葛目美枝子　鈴木洋子　畑野衣見　藤井かおり　藤井多穂子
町田加奈子

e-Publishing Company
三輪真也　小田孝文　飯田智樹　川島理　中島俊平
松原史与志　磯部隆　大崎双葉　岡本雄太郎　越野志絵良
斎藤悠人　庄司知世　中西花　西川なつか　野﨑竜海
野中保奈美　三角真穂　八木眸　高原未来子　中澤泰宏
伊藤由美　俵敬子

Product Company
大山聡子　大竹朝子　小関勝則　千葉正幸　原典宏
藤田浩芳　榎本明日香　倉田華　志摩麻衣　舘瑞恵
橋本莉奈　牧野類　三谷祐一　元木優子　安永姫菜
渡辺基志　小石亜季

Business Solution Company
蛯原昇　早水真吾　志摩晃司　野村美紀　林秀樹
南健一　村尾純司

Corporate Design Group
森谷真一　大星多聞　堀部直人　井上竜之介　王廳
奥田千晶　佐藤サラ圭　杉田彰子　田中亜紀　福永友紀
山田諭志　池田望　石光まゆ子　齋藤朋子　福田章平
丸山香織　宮崎陽子　阿知波淳平　伊藤花笑　伊藤沙恵
岩城萌花　岩淵瞭　内堀瑞穂　遠藤文香　王玮祎
大野真里菜　大場美範　小田日和　加藤沙葵　金子瑞実
河北美汐　吉川由莉　菊地美恵　工藤奈津子　黒野有花
小林雅治　坂上めぐみ　佐瀬遥香　鈴木あさひ　関紗也乃
高田彩菜　瀧山響子　田澤愛実　田中真悠　田山礼真
玉井里奈　鶴岡蒼也　道玄萌　富永啓　中島魁星
永田健太　夏山千穂　原千晶　平池輝　日吉理咲
星明里　峯岸美有　森脇隆登

special thanks to
赤津光成　安立沙耶佳　吉田彩　伊東千尋　五十川慈　馬場保幸

Proofreader 株式会社T&K
DTP 株式会社RUHIA
Printing 日経印刷株式会社

ISBN978-4-7993-2802-6